EL ABC
DEL
INGLÉS

EL ABC DEL INGLÉS

MÉTODO BÁSICO PARA APRENDER INGLÉS SIN MAESTRO

JESSE ITUARTE

Grupo Editorial Tomo, S. A. de C. V.
Nicolás San Juan 1043
03100 México, D. F.

1a. edición, marzo 1999.
2a. edición, noviembre 2002.
3a. edición, julio 2003.
4a. edición, octubre 2004.

© *El ABC del Inglés*
Autor: Jesse Ituarte

© 2003, Grupo Editorial Tomo, S.A. de C.V.
Nicolás San Juan 1043, Col. Del Valle
03100 México, D.F.
Tels. 5575-6615, 5575-8701 y 5575-0186
Fax. 5575-6695
http://www.grupotomo.com.mx
ISBN: 970-666-150-6
Miembro de la Cámara Nacional
de la Industria Editorial No 2961

Diseño de portada: Emigdio Guevara.
Dibujos y viñetas: Emigdio Guevara y Ricardo Sosa
Supervisor de producción: Leonardo Figueroa

Impreso en México - *Printed in Mexico*

A mis queridos amigos:

Fernando R., Blanca M.,
Jorge M., Loren,
Silvia Ch. y Ana Lilia

INTRODUCCIÓN

Muchas personas viajan a los Estados Unidos de Norteamérica todos los días del año; unos lo hacen debido a su trabajo y otros lo hacen en plan de turistas. Sin embargo, un alto porcentaje de las personas que van a este país no saben hablar inglés.

Este problema se debe a que en las escuelas enseñan un inglés rudimentario y muy pobre, pensando que esto será suficiente para entablar una conversación con un estadounidense.

Si hacemos memoria del inglés que aprendimos en la primaria, secundaria o preparatoria, vienen a nuestra mente: "pollito-chicken, gallina-hen, lápiz-pencil...". Si nosotros llegamos y repetimos el inglés que se nos enseñó en la escuela, seguramente acabaremos siendo la burla de los norteamericanos.

Y si tu intención es aprender inglés en una de las muchas escuelas que dicen especializarse en idiomas, lo primero que debes hacer es ver qué tan seria es la institución, así como los maestros que ahí enseñan. Una vez que hayas visto esto, tendrás que tener mucha paciencia para lograr terminar los largos cursos, así como tener un buen trabajo, ya que el costo de estos cursos es generalmente muy alto.

Pero si a ti te urge aprender a hablar inglés, y no tienes tiempo para acudir a cursos en horarios incómodos y con muchas personas que, en lugar de ayudarte, lo único que hacen es retrasarte en tu aprendizaje, ponemos en tus manos este sencillo curso de inglés sin maestro que te ayudará a dominar el inglés en unos cuantos días.

Si en verdad quieres aprender inglés de una manera sencilla, rápida y muy eficaz, éste es el libro que estabas buscando, pues en él encontrarás la manera de escribir, pronunciar y el significado de cada una de las palabras y frases más comunes que se usan en Estados Unidos, así como claros ejemplos de cada una de ellas.

Además, tendrás la enorme ventaja de no tener que cumplir con horarios estrictos o con maestros mal preparados. Con este libro, tú serás tu propio maestro y aprenderás tan rápido como lo desees. Con este libro, ya no tendrás excusas o problemas para poder visitar los Estados Unidos y lograr entablar una conversación con los estadounidenses de una manera clara y correcta.

I. Pronunciación

Como todo idioma que se habla en cualquier parte del mundo, la pronunciación del inglés es sumamente importante para lograr hacerse entender. En este idioma, el sonido de cada letra varía dependiendo de las letras que compongan una palabra determinada.

A continuación, te presentamos el alfabeto y el sonido de cada letra sola. Más adelante, te mostraremos cómo suena cada una de ellas cuando forman una palabra.

ALFABETO

Las letras que aparecen más oscuras, deben pronunciarse suavemente.

A	B	C	D	E	F	G
Éi	Bi	Sí	Di	I	Ef	Yi
H	**I**	**J**	**K**	**L**	**M**	**N**
Éich	Ái	Yéi	Kéi	El	Em	En
O	**P**	**Q**	**R**	**S**	**T**	**U**
Ou	Pi	Kiú	Ar	Es	Ti	Iú
V	**W**	**X**	**Y**	**Z**		
Vi	Dóbliu	Eks	Uái	Zi		

Como te mencionamos anteriormente, no todas las letras suenan igual solas que cuando van acompañadas de otras para formar una palabra. A continuación, te mostraremos las posibilidades de sonido de cada una de las letras y te pondremos ejemplos para que te sea más fácil comprender su sonido y pronunciación.

A

Si en una palabra que no sea monosílaba la letra "A" va seguida de una "r", de las letras "lf ", "lm", "lv", o "th", se pronunciara "a". Por ejemplo:

Palabra	Pronunciación	Significado
Alfred	Alfred	Alfredo
Balm	Bálm	Bálsamo
Cigarette	Cígarret	Cigarrillo
Father	Fáder	Padre
Salvation	Salvéishon	Salvación

Si encontramos la letra "a" en una monosílaba y no está seguida de las letras anteriores, su pronunciación será "æ" (entre la "a" y la "e"). Por ejemplo:

Palabra	Pronunciación	Significado
Bad	Bæd	Malo
Mad	Mæd	Enojado
Man	Mæn	Hombre

Si la letra "a" se encuentra antes de una consonante y una "e" muda, así como de la sílaba "ble", sonará "ei". Por ejemplo:

Palabra	Pronunciación	Significado
Blame	Bléim	Culpa
Cable	Kéibl	Cable
Cane	Kéin	Bastón
Table	Téibl	Mesa

Si la letra "a" está antes de una "r" y una "e" muda, se pronunciará "e". Por ejemplo:

Palabra	Pronunciación	Significado
Beware	Bigüer	Tener cuidado
Care	Ker	Cuidado
Dare	Der	Atreverse

Finalmente, por lo que respecta a la letra "a", ésta también puede sonar como "o", siempre y cuando después de ella encontremos "lt", "ll" y "ls". Por ejemplo:

Palabra	Pronunciación	Significado
All	Ol	Todo
Also	Ólsou	También
Salt	Solt	Sal

B

Por lo que respecta a esta letra, siempre va a tener el mismo sonido y pronunciación. No importa con qué letras vaya acompañada al formar palabras. Por ejemplo:

Palabra	Pronunciación	Significado
Bay	Béi	Bahía
Black	Blák	Negro
Forbid	Forbíd	Prohibir
Lobster	Lóbster	Langosta
Subway	Sóbuei	Subterráneo

C

Cuando nos encontramos a la letra "c" en alguna palabra del idioma inglés, sólo hay dos posibilidades de pronunciación. La primera, es que suene como "k", siempre y cuando esté antes de una "r", "a", "l", "o", "t" y "u". Por ejemplo:

Palabra	Pronunciación	Significado
A*cr*oss	Akrós	A través
A*ct*ually	Áktuali	Actualmente
Ba*c*on	Béikon	Tocino
*Ca*r	Kær	Automóvil
*Cl*utch	Klótch	Embrague
*Cu*re	Kiur	Cura/Curación

La otra manera de pronunciar la "c" es como si fuera "s". Así sonará cuando vaya antes de una "y", "e" o una "i". Por ejemplo:

Palabra	Pronunciación	Significado
*C*entury	Sénturi	Centuria/Siglo
*C*itizen	Sítizen	Ciudadano
Poli*c*y	Pólisi	Política

Al igual que en español, si encontramos una "h" después de la "c", la pronunciación será "ch". Por ejemplo:

Palabra	Pronunciación	Significado
*Ch*air	Chær	Silla
*Ch*urch	Chérch	Iglesia

D

Esta letra, al igual que la "b", tiene un sonido único, y no importa qué letras acompañen a la "d", siempre sonará igual. Por ejemplo:

Palabra	Pronunciación	Significado
Cardinal	Cárdinal	Cardenal
Danger	Denyer	Peligro
Devil	Dévol	Diablo
Fade	Féid	Desvanecer
Need	Níd	Necesidad

E

La letra "e", muy común en cualquier palabra del idioma inglés, puede tener cuatro diferentes maneras de pronunciarse. Una de ellas es "œ" (entre "o" y "e"), siempre y cuando, al final de la palabra, esté antes de una "r". Por ejemplo:

Palabra	Pronunciación	Significado
Lawyer	Lóyœr	Abogado
Pitcher	Pítchœr	Lanzador

También se puede pronunciar como "i". Esto sucede si la "e" se encuentra al final de algún monosílabo. Por ejemplo:

Palabra	Pronunciación	Significado
Be	Bí	Ser
He	Jí	Él
She	Shí	Ella
We	Uí	Nosotros

Si nos encontramos una "e" antes de una "r" y una "e" muda, se deberá pronunciar "ia". Por ejemplo:

Palabra	Pronunciación	Significado
Here	Jíar	Aquí
Mere	Míar	Sólo/Sencillo

De igual manera, esta letra puede pronunciarse como "e", siempre y cuando vaya antes de una o más consonantes, pero siempre en la misma sílaba. Por ejemplo:

Palabra	Pronunciación	Significado
Bed	Bed	Cama
Bet	Bét	Apuesta
Dead	Déd	Muerte
French	Frénch	Francés
Let	Lét	Dejar

Por último, la letra "e" puede también ser muda y carecer de sonido. Si la encontramos al final de una palabra monosílaba, no tendrá sonido alguno. Por ejemplo:

Palabra	Pronunciación	Significado
Blade	Bléid	Cuchilla
Face	Féis	Cara
Taste	Téist	Sabor

F

Al igual que la "b" y la "d", esta letra tiene un sonido y una pronunciación única. Así que si te encuentras con una a la hora de hablar inglés, pronúnciala al igual que lo hacen en español. Por ejemplo:

Palabra	Pronunciación	Significado
De*f*ect	Difékt	Defecto
*F*ame	Féim	Fama
*F*ire	Fáier	Fuego
*F*riday	Fráidei	Viernes
Ri*f*le	Ráifl	Rifle

G

Por lo que respecta a la letra "g", podemos pronunciarla básicamente de dos maneras. La primera es darle un sonido como si fuera "y". Esto lo haremos siempre que la "g" esté antes de una "y", "e" o una "i", siempre y cuando no sigan a ésta "b", "d", "f", "l", "r" o una "v". Por ejemplo.

Palabra	Pronunciación	Significado
*G*eneral	Yeneræl	General
*G*in	Yin	Ginebra
*G*ypsy	Yípsi	Gitana

Si la "g" está antes de una "i", y le sigue "b", "d", "f", "l", "r" o una "v", su pronunciación será "gu"; asimismo, si después de la "g" encontramos las vocales "a", "o", "u", la "g" sonará igual que el español. Por ejemplo:

Palabra	Pronunciación	Significado
*Ga*me	Guéim	Juego
*Gib*bet	Guíbet	Horca
*Gid*dy	Guídi	Vertiginoso
*Gi*ft	Guift	Regalo
*Gil*d	Guild	Dorar/Dar Brillo
*Gir*l	Goerl	Niña
*Giv*e	Guiv	Dar
*Go*ld	Gold	Oro
*Gu*n	Gæn	Pistola

H

Generalmente, y salvo alguna excepciones muy específicas, la letra "h" en el idioma inglés siempre sonará como una "j". Por ejemplo:

Palabra	Pronunciación	Significado
A*he*ad	Ajéd	Adelante
*Ha*ppy	Jápi	Feliz
He	Jí	Él
*Hig*h	Jái	Alto
*Ho*use	Jáus	Casa
*Hu*man	Jiúman	Humano

I

La letra "i" en el inglés tiene muy variadas pronunciaciones. Una de ellas es "œ" (entre "o" y "e"), siempre y cuando la "i" vaya seguida de la letra "r". Por ejemplo:

Palabra	Pronunciación	Significado
B*ir*d	Bœrd	Pájaro
G*ir*l	Gœrl	Niña
S*ir*	Sœr	Señor

Otra manera de pronunciar a la "i" es como suena en español. Debemos hacerlo así si la vemos en un polisílabo o monosílabo que terminen con una o más consonantes, y que no sean "gh" o "ght". Por ejemplo:

Palabra	Pronunciación	Significado
City	Síti	Ciudad
Guitar	Guitár	Guitarra
Milk	Mílk	Leche
Prince	Príns	Príncipe

La letra "i" también puede pronunciarse como "ai", siempre y cuando a ésta le sigan una consonante y una "e" muda. También sonará así, si la palabra termina con "gh", "ght" o con "ind". Por ejemplo:

Palabra	Pronunciación	Significado
Fight	Fáit	Pelea
Fine	Fáin	Bien, Bello
High	Jái	Alto
Kind	Káind	Bondadoso
Mind	Máind	Mente
Rice	Ráis	Arroz

Otro tipo de pronunciación de la "i", muy parecido al anterior, es el de "aie". Sonará así cuando la letra "i" vaya seguida de una "r" y una "e" muda. Por ejemplo:

Palabra	Pronunciación	Significado
Fire	Fáier	Fuego
Hire	Jáier	Alquiler
Tire	Táier	Llanta/Cansar

Finalmente, la "i" será completamente muda en algunas palabras como las siguientes:

Palabra	Pronunciación	Significado
Foreigner	Fórener	Extranjero
Friend	Frend	Amigo

J

La letra "j" en el idioma inglés, tiene la misma pronunciación que la "y" en español. Cuando la veas en cualquier palabra, pronúnciala como la "y" que conocemos y listo. Por ejemplo:

Palabra	Pronunciación	Significado
Jail	Yéil	Cárcel
Jealous	Yélas	Celoso
Job	Yob	Trabajo
Jump	Yomp	Saltar

K

La letra "k" en el idioma inglés tiene sólo dos maneras de pronunciarse. La primera, es como lo hacemos en español. Esto sucede siempre que después de la "k" encontremos una vocal o consonante que no sea "n". Por ejemplo:

Palabra	Pronunciación	Significado
Key	Ki	Llave
Kick	Kik	Patear
Kid	Kid	Muchacho
Kiss	Kis	Beso
Kitchen	Kichen	Cocina

Y cuando encontremos una "k" seguida de una "n", no tiene sonido alguno a la hora de pronunciarla. Por ejemplo:

Palabra	Pronunciación	Significado
*Kn*ee	Ní	Rodilla
*Kn*ife	Náif	Cuchillo
*Kn*ight	Náit	Caballero
*Kn*ow	Nóu	Conocer, Saber

L, M, N

Estas tres letras, a la hora de pronunciarlas en el idioma inglés, tienen el mismo sonido que en español. Cuando te encuentres con cualquiera de ellas, pronúncialas igual que lo haces en español y no tendrás problema alguno. Por ejemplo:

Palabra	Pronunciación	Significado
*L*ake	Léik	Lago
*L*an*d*	Land	Tierra
*Mil*e	Máil	Milla
*M*or*n*i*n*g	Morning	Mañana
*N*ever	Nevær	Nunca
*N*ose	Nóus	Nariz

O

Cuatro son las formas de pronunciar correctamente la "o" en inglés. Una de ellas es hacerlo al igual que lo hacemos en español. Cuando la "o" esté al principio de una palabra y no le siga "ld"; también si está antes de una "r" que no tenga a continuación una "e" muda; o si aparecen dos "o" seguidas de una "r". Por ejemplo.

Palabra	Pronunciación	Significado
Door	Dor	Puerta
Floor	Flor	Piso
October	Oktober	Octubre
Odd	Od	Raro
Off	Of	Apagado
Office	Ofis	Oficina

Asimismo, la "o" puede pronunciarse como "u", siempre y cuando aparezcan dos "o" seguidas y no siga una "r", o al final de algunos monosílabos. Por ejemplo:

Palabra	Pronunciación	Significado
Cook	Kuk	Cocinar
Do	Du	Hacer
Look	Luk	Mirar
To	Tu	A, Hacia

Otra manera de pronunciar la "o", y una de las más complicadas (por lo que te recomendamos mucha práctica) es como "oa". Así sonará siempre que vaya la "o" seguida de una "r" y una "e" muda. Por ejemplo:

Palabra	Pronunciación	Significado
Before	Bifóar	Antes
Encore	Enkóar	Repetición
More	Moar	Más

Por último, la "o" también se puede pronunciar como "ou", siendo la "u" de un sonido muy leve. Así lo deberás de hacer cuando se presente una "o" seguida de "ld" o si le sigue una consonante y una "e" muda. Por ejemplo:

Palabra	Pronunciación	Significado
Cold	Cóuld	Frío
Nose	Nóus	Nariz
Old	Óuld	Viejo
Rose	Róus	Rosa

Cuando encontremos la terminación "ous" en cualquier palabra, la pronunciación correcta será "a" cerrada. Es decir, pronunciar la "a" de manera suave al final. Este tipo de terminación es rara en inglés, pero la podemos encontrar en palabras como:

Palabra	Pronunciación	Significado
Jealous	Yélas	Celoso
Famous	Féimas	Famoso
Ridiculous	Ridíkiulas	Ridículo

P

La letra "p" dentro del idioma inglés, no representa dificultad alguna, pues su pronunciación es la misma que en español. Sin embargo, cuando a la "p" le siga una "h", su pronunciación será la misma que la "f" en español. Por ejemplo:

Palabra	Pronunciación	Significado
Patrol	Pátroul	Patrulla
Person	Pærson	Persona
Pet	Pet	Mascota
Photograph	Fótograf	Fotografía
Phrase	Fréis	Frase
Physical	Físical	Físico
Telephone	Télefon	Teléfono

Q

Por lo que respecta a la letra "q", en el idioma inglés siempre sonará y se pronunciará como "ku". Por ejemplo:

Palabra	Pronunciación	Significado
Quality	Kuáliti	Calidad
Queen	Kuín	Reyna
Quick	Kuík	Rápido
Quit	Kuít	Renuncia
Quote	Kuóut	Citar

R, S

Estas dos letras en el idioma inglés se pronuncian igual que en el español. No obstante, debemos de cuidar que después de la "s" no vaya una "h", pues si esto es así, su pronunciación varía, y se debe decir como "ch", pero arrastrando la "c". Para que entiendas mejor, es el mismo sonido que hacemos con la boca al querer callar a una persona. Por ejemplo:

Palabra	Pronunciación	Significado
Rain	Réin	Lluvia
Ready	Rédi	Listo, Preparado
Rice	Ráis	Arroz
School	Skul	Escuela
Sea	Si	Mar
Seed	Sid	Semilla, Grano
Shoe	Shu	Zapato
Shout	Sháut	Grito
Shower	Sháuer	Baño, Ducha

T

Dentro del idioma inglés, la letra "t" puede tener cuatro variaciones con respecto a su pronunciación. La primera de ellas, es cuando encontramos una "t" antes de la terminación "ion" o "ience". La pronunciación correcta será "sh". Por ejemplo:

Palabra	Pronunciación	Significado
Colection	Kolékshon	Colección
Nation	Neishón	Nación
Patience	Pæshens	Paciencia

Cuando encontramos una "t" seguida de una "h", su pronunciación deberá ser como "zd". Para lograr este sonido, colocaremos la lengua en el borde de los dientes superiores

(como si quisiéramos pronunciar la "z") y diremos "d".
Por ejemplo:

Palabra	Pronunciación	Significado
Clothes	Klouzds	Ropas
The	Zdi/Zdæ	El, La
Thing	Zding	Cosa

Si nos encontramos una letra "t" con la terminación "ure",
y después de la "t" vemos una vocal, la pronunciación correcta será "ch". Por ejemplo:

Palabra	Pronunciación	Significado
Furniture	Fernichuer	Mobiliario
Nature	Naichuer	Naturaleza
Picture	Píkchuer	Película, Pintura

Finalmente, cuando nos encontramos una "t" sin ninguna
de las características anteriores, su sonido será el mismo que
en español. Por ejemplo:

Palabra	Pronunciación	Significado
Tea	Ti	Té
Ticket	Tiket	Boleto
Tired	Táyerd	Cansado
Tomatoe	Toméito	Tomate

U

La letra "u" dentro del idioma inglés, tiene tres diferentes
maneras de pronunciarse. La primera, es al igual que el

español, siempre y cuando aparezca en monosílabos seguida de "l", "s", o "t". Por ejemplo:

Palabra	Pronunciación	Significado
Bull	Bul	Toro
Bus	Bus	Camión
Put	Put	Poner

Si nos encontramos con una "u" seguida de una o varias consonantes y que entre ellas formen una sílaba, entonces se pronunciará "oe". Por ejemplo:

Palabra	Pronunciación	Significado
Fun	Foen	Diversión
Gun	Goen	Arma
Sun	Soen	Sol
Turn	Toern	Vuelta

Por último, cuando estamos frente a una "u" al final de una sílaba acentuada o antes de una consonante y una "e" muda, la pronunciación correcta será "iú". Por ejemplo:

Palabra	Pronunciación	Significado
Cube	Kiúb	Cubo
Cupid	Kiúpid	Cupido
Mule	Miúl	Mula
Music	Miúsik	Música

V

Esta es otra de las letras que, dentro del idioma inglés, no representan mayor dificultad, pues su sonido y pronunciación son iguales que en español. Por ejemplo:

Palabra	Pronunciación	Significado
Vacancy	Veykanci	Vacante
Vacation	Vakéishon	Vacaciones
Velvet	Velvet	Terciopelo
Very	Veri	Muy, Mucho
View	Viú	Vista
Visit	Visit	Visita

W

Esta letra, muy común en el idioma inglés, tiene tres maneras de pronunciarse. La primera es como si se tratara de una "u", siempre y cuando le siga una vocal. Por ejemplo:

Palabra	Pronunciación	Significado
Awake	Auéik	Despertar
Power	Pauer	Poder
Way	Uéi	Camino
Win	Uín	Ganar

Y cuando nos encontramos con una "w" seguida de una "h", su pronunciación será "ju". Por ejemplo:

Palabra	Pronunciación	Significado
When	Juén	Cuándo
Where	Juér	Dónde
Who	Ju	Quién
Why	Juái	Por qué

Finalmente, si nos encontramos con una "w" seguida de una "r" al principio de dicción, será muda. No importa que se encuentren vocales junto a ellas. Por ejemplo:

Palabra	Pronunciación	Significado
Answer	Ánser	Respuesta
Sword	Sord	Espada
Write	Ráit	Escribir
Wrong	Rong	Error, Equivocar

Y

La letra "y" en el idioma inglés puede tener tres tipos de pronunciación. Cuando la encontramos al principio de la palabra, suena exactamente igual que en español. Por ejemplo:

Palabra	Pronunciación	Significado
Year	Yíar	Año
Yellow	Yélou	Amarillo
Yesterday	Yésterdei	Ayer
Young	Yong	Joven

Cuando encontramos una "y" al final de la dicción y no lleva el acento de la palabra, su pronunciación es "i". Por ejemplo:

Palabra	Pronunciación	Significado
Cowboy	Káuboi	Vaquero
Liberty	Líberti	Libertad
Nasty	Násti	Sucio
Very	Véri	Muy, Mucho

Y si vemos una "y" al final de una sílaba, y ésta va acentuada, su pronunciación será "ai". Por ejemplo:

Palabra	Pronunciación	Significado
By	Bái	Por
My	Mái	Mi
Style	Stáil	Estilo
Why	Uái	Por qué

Z

Finalmente llegamos a la "z". Esta letra, dentro del inglés, tiene un sonido similar al de la "z" en español. Para pronunciarla correctamente, debemos hacerlo como si fuera una "s" fuerte. Por ejemplo:

Palabra	Pronunciación	Significado
Zebra	Zibra	Zebra
Zodiac	Zódiak	Zodiaco

NUMERACIÓN

Una vez que hayas estudiado la pronunciación de cada una de las letras, así como las palabras que te pusimos de ejemplos, es conveniente que empieces a familiarizarte con los números.

Como bien lo sabes, la numeración es universal, es decir, no hay cambios en el sistema que llevamos en México, Estados Unidos, Centroamérica, Europa, Asia, etc. Por este motivo, te será muy sencillo aprender los números, así como pronunciarlos correctamente.

Número	Escritura (Inglés)	Pronunciación
1	One	Uán
2	Two	Tu
3	Three	Zdrí
4	Four	Fór
5	Five	Fáiv
6	Six	Six
7	Seven	Séven
8	Eight	Éit
9	Nine	Náin
10	Ten	Ten
11	Eleven	Iléven
12	Twelve	Tuélv
13	Thirteen	Zdoertín
14	Fourteen	Fortín
15	Fifteen	Fiftín
16	Sixteen	Sixtín
17	Seventeen	Seventín
18	Eighteen	Eitín
19	Ninteen	Naintín
20	Twenty	Tuénti
21	Twenty one	Tuénti uán
22	Twenty two	Tuénti tu
23	Twenty three	Tuénti zdrí
24	Twenty four	Tuénti fór
25	Twenty five	Tuénti fáiv
30	Thirty	Zdoérti
40	Forty	Fórti
50	Fifty	Fífti
60	Sixty	Síxti
70	Seventy	Séventi
80	Eighty	Éiti
90	Ninety	Náinti
100	A/One hundred	Ei/Uán joendred
101	One hundred and one	Uán joendred and uán

102	One hundred and two	Uán joendred and tu
103	One hundred and three	Uán joendred and zdrí
104	One hundred and four	Uán joendred and fór
105	One hundred and five	Uán joendred and fáiv
110	One hundred and ten	Uán joendred and ten
120	One hundred and twenty	Uán joendred and tuénti
130	One hundred and thirty	Uán joendred and zdoérti
200	Two hundred	Tu joendred
300	Three hundred	Zdrí joendred
400	Four hundred	Fór joendred
500	Five hundred	Fáiv joendred
1,000	A/One thousand	Ei/Uán zdáusand
2,000	Two thousand	Tu zdáusand
5,000	Five thousand	Fáiv zdáusand
10,000	Ten thousand	Ten zdáusand
100,000	A/One hundred thousand	Ei/Uán joendred zdáusand
500,000	Five hundred thousand	Fáiv joendred zdáusand
1,000,000	A/One million	Ei/One Milioen
5,000,000	Five Million	Fáiv Milioen

Lógicamente, en la tabla anterior sólo te hemos puesto los números esenciales. A partir de ellos, puedes nombrar todos los que faltan. Si observas detenidamente los números en inglés, son similares a los del español. Por ejemplo, si deseas decir 2,546, fíjate como se forman cada uno de ellos y únelos:

2,000 = Two Thousand (Tu zdáusand)

500 = Five Hundred (Fáiv joendred)

40 = Forty (fórti)

6 = Six (six)

_____

2,546 = Two Thousand five hundred forty six
          (Tu zdáusand fáiv joendred fórti six)

Encuentra los siguientes números: 8, 11, 50, 2, 30, 17, 90, 14, 12, 60, 10.

X	U	T	N	V	P	F	Q	I
C	W	E	I	G	H	T	R	Y
O	F	N	N	U	O	T	T	S
N	I	M	E	W	Z	R	F	X
J	F	L	T	Y	I	N	O	U
Y	T	F	Y	H	E	E	U	Z
T	Y	G	T	V	D	A	R	A
X	T	W	E	L	V	E	T	C
I	I	L	U	B	E	L	E	A
S	E	V	E	N	T	E	E	N
K	H	C	A	G	E	N	N	G

II. ¿Qué hora es?

El pedir o dar la hora es muy común entre la gente que habla inglés (al igual que lo es entre nosotros). Por ello, es importante que sepas dar o pedir la hora exacta. Para lograrlo, tendrás que memorizar unas cuantas palabras, pues los números ya los tienes dominados, ¿o no? Bueno pues repásalos.

Para preguntar la hora dices: What time is it? (juat táim is it?)

Español	Inglés	Pronunciación
tiempo	time	táim
hora	hour	áuer
minuto	minute	mínet
en punto	o'clock	oklók
después de	after	áfter
para	to	tu
y media	and a half	en a jaf
un cuarto	a quarter	a kuárer

Al igual que en español, hay diferentes maneras de dar la hora. Por ejemplo, no hay diferencia si dices "son las ocho con cuarenta minutos" o si dices "faltan veinte minutos para las nueve". De la misma manera puedes hacerlo en inglés.

Si a la hora de ver el reloj éste marca una hora exacta, es decir las tres, cinco o diez en punto, la fórmula para decirlo en inglés es la siguiente:

Son las (Inglés)	Número de la hora	En punto	El reloj dirá
It is (It is)	nine (náin)	o'clock (oklók)	9:00
It is (it is)	five (faív)	o'clock (oklók)	5:00

Ahora bien, si la hora no es exacta, podemos decir que son "x" minutos después de la hora. Por ejemplo:

Número (Inglés)	Minutos	Después de	Hora	El reloj dirá
Ten (ten)	minutes (minets)	after (after)	six (six)	6:10
Twenty (tuénti)	minutes (minets)	after (after)	eleven (iléven)	11:20

Y si lo que intentamos decir es que faltan unos minutos para que llegue una hora, haremos lo siguiente:

Número (Inglés)	Minutos	Para la(s)	Hora	El reloj dirá
Fourteen (fortín)	minutes (minets)	to (tu)	one (uán)	12:46
Five (fáiv)	minutes (minets)	to (tu)	four (for)	3:55

Ahora bien, si el reloj marca lo que conocemos como "un cuarto para" o "y cuarto", la hora se dice de la siguiente manera:

Es un (Inglés)	Medida	Para o Después	Hora	El reloj dirá
It is (it is)	a quarter (a kuárer)	to (tu)	ten (ten)	9:45
It is (it is)	a quarter (a kuárer)	after (áfter)	seven (séven)	7:15

Y finalmente, si el reloj marca lo que se conoce como "y media", la manera correcta de decir la hora es:

Son las (Inglés)	Hora	Y media	El reloj dirá
It is (it is)	eight (éit)	thirty (Zdoérti)	8:30
It is (it is)	twelve (tuélv)	thirty (Zdoérti)	12:30

III. Artículos y Adjetivos Demostrativos

Como en cualquier idioma, dentro del inglés los artículos y adjetivos juegan un importante papel. El saber usarlos y pronunciarlos, es el inicio hacia un aprendizaje eficaz del idioma inglés. Dentro de esta lengua, podemos encontrar dos tipos de artículos: determinado e indeterminado. El artículo determinado en inglés es "the" (zdí / zdæ), y sirve para palabras en singular o plural, femeninas o masculinas. Se coloca inmediatamente antes de la palabra que corresponde a lo que nos queremos referir. En español, el "the" es el, la, los, las.

Por su parte, podemos encontrar dos tipos de artículos indeterminados en inglés: "a" (ei) y "an" (æn). El primero, es decir el "a", se usa antes de las palabras que inician con cualquier consonante o con la "h" que suena a "j". Y el "an" se utiliza antes de cualquier palabra que empiece con vocal o con la "h" que no suena. En español, ambas corresponden a un, una.

Artículo	Pronunciación	Significado
The	Zdi/Zdæ*	El, La, Los, Las
A, An	Ei, Æn	Un, Una

Cuando la siguiente palabra empieza con vocal, se pronunciará "zdí"; pero cuando la siguiente palabra inicia con consonante, la pronunciación será "zdæ".

Español	Inglés	Pronunciación
El elefante	The elephant	Zdí elefánt
El automóvil	The car	Zdæ car
Una manzana	An apple	Æn appl
Una silla	A chair	Éi cher

Los Animales - The Animals
(Zdí Ánimals)

Español	Inglés	Pronunciación
abeja	bee	bi
araña	spider	spáider
ardilla	squirrel	skuoerrel
asno	ass	as

buey	ox	ox
burro	donkey	dónki
caballo	horse	jors
cabra	goat	góut
caimán	alligator	aligéitor
camello	camel	cámel
cerdo	pig	pig
ciervo	deer	dir
cocodrilo	crocodile	crokodáil
conejo	rabbit	rábit
cordero	lamb	lamb
cucaracha	roach	róuch
cuervo	raven	réiven
delfín	dolphin	dólfin
elefante	elephant	élefant
gallina	hen	jen
ganso	goose	gus
gansos	geese	guis
gatito	kitten	kíren
gato	cat	cat
gusano	worm	uórm
hormiga	ant	ant
langosta	lobster	lóbster
león	lion	láion
leopardo	leopard	lépard
liebre	hare	jær
lobo	wolf	uólf
mariposa	butterfly	boterflái
mono	monkee	mónki
mosca	fly	flái
mosquito	mosquito	mosquírou
mula	mule	miúl
murciélago	bat	bat
oso	bear	bér
oveja	sheep	ship

paloma	dove	dóuv
pato	duck	doek
pavo	turkey	toerki
perro	dog	dog
pollo	chicken	chiken
rana	frog	fróg
rata	rat	rat
ratón	mouse	máus
ratones	mice	máis
serpiente	snake	snéik
simio	ape	éip
ternero	calf	calf
tiburón	shark	shark
tigre	tiger	táiguer
toro	bull	bul
tortuga	turtle	toertl
vaca	cow	cáu
yegua	mare	mer
zorra	fox	fox

Usa el artículo THE con los nombres en inglés de estos animales. Recuerda que cuando empiezan con vocal, se pronuncia zdi y cuando empiezan con consonante se pronuncia zdae.

 The Dog

 The Eagle

 The Peacock

 The Elephant

 The Duck

 The Orca

 The Lamb

 The Orangutan

The Cock

 The Armadillo

The Horse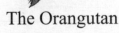

 The Elk

Por lo que toca a los adjetivos demostrativos y posesivos, su uso en el inglés, es el mismo que en el español. Básicamente se usan para señalar y para dar "propiedad" a las cosas que mencionamos. A continuación te presentamos una tabla con los adjetivos en español e inglés, así como su pronunciación correcta. Repásalos detenidamente:

Adjetivo Demostrativo (Inglés)	Pronunciación	Significado
This	Zdis	Este, Esta
These	Zdíis	Estos, Estas
That	Zdat	Aquel, Aquella, Ese, Esa
Those	Zdóus	Aquellos, Aquellas, Esos, Esas

Este es un árbol
This is a tree
(*dis* is *a* tri)

Ese es un árbol
That's a tree
(*d*ats *a* tri)

Estos son árboles
These are trees
(*d*iis are tris)

Esos son árboles
Those are trees
(*d*ous are tris)

Esta es una raíz
This is a root
(*d*is is *a* rut)

Posesivos en Inglés

Para indicar quién es el dueño de algo, se agrega un apóstrofe (') y una "s" al final del nombre de la persona. Por ejemplo:

Los zapatos de Beto.   Beto's shoes (Betos shus)

La casa del Sr. Allen.   Mr. Allen's house (MISter Alens *j*aus)

También podemos expresar posesión con adjetivos posesivos. Por ejemplo:

Esta es mi falda — This is my skirt. (*d*is is mai sk*i*rt)

¿Cuál es tu coche? — Which is your car? (*j*uich is yur car)

Su (de él) traje es negro. — His suit is black. (*j*is sut is blak)

Su (de ella) vestido es nuevo. — Her dress is new. (*j*er dres is niu)

Su (de un animal) alimento es caro. — Its food is expensive. (its fud is exPENsiv)

Nuestra casa es chica. — Our house is small. (aur jaus is smol)

Su (de ustedes) trabajo es excelente. — Your work is excellent. (yur uork is EXelent)

Su (de ellos) hija tiene ojos verdes. — Their daughter has green eyes. (*d*er DOTer *j*as grin ais)

Inglés	Pronunciación	Significado
my	mai	mi
your	yur	tu
his	jis	su (de él)
her	jer	su (de ella)
its	its	su (de un animal)
our	aur	nuestro
your	yur	su (de ustedes)
their	zdeir	su (de ellos)

Otra manera de hacerlo es con pronombres posesivos. Por ejemplo:

¿De quién es este libro?	Whose book is this? (*j*us buk is dis)
Es mío.	It's mine. (its main)
Es tuyo.	It's yours. (its yurs)
Es suyo (de él).	It's his. (its *j*is)
Es suyo (de ella).	It's hers. (its *j*ers)
Es nuestro.	It's ours. (its aurs)
Es suyo (de ustedes).	It's yours. (its yurs)
Es suyo (de ellos).	It's theirs. (its *d*eirs)

Posesivos

Inglés	Pronunciación	Significado
Mine	Máin	Mío(a)
Yours	Yoers	Tuyo(ya)
His	Jis	Suyo(ya) -de él-
Hers	Jers	Suyo(ya) -de ella-
Its	Its	Suyo(ya) -de ello, eso-
Ours	Áurs	Nuestro(a)
Yours	Yoers	De usted(es)
Theirs	Zdéars	Suyo -de ellos, ellas-

Para preguntar

What	Juát	Qué
Who	Ju	Quién
Whom	Jum	A quién
Whose	Jus	De quién -cuyo, cuya-
Which	Juích	Cuál(es)

Práctica adicional:

De acuerdo a los dibujos, di y escribe de quién son estas cosas:

¿De quién son estas cosas?   Whose are these things? (Jus ar dis zdings?)

Esta es mi bicicleta
This is my bicycle
(*dis* is mai BAIsicl)

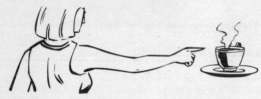

Ese es el sillón de mi papá
That is my father's armchair
*D*at is mai FADers armcher

¿De quién es ese café?
Whose coffe is that?
(Jus kofi is dat?)

Ese es el traje de Daniel
_____
_____

¿De quién es ese abrigo?
_____
_____

Esta es
mi computadora
_____
_____

Escribe oraciones como éstas:

¿De quién es esta muñeca?   Whose doll is this? (jus dol is dis)
Es de Greta.   It's Greta's. (its Gretas)
Es su muñeca.   It's her doll. (its jer dol)
Es suya.   It's hers. (its jers)

¿Es tuyo este libro?   Is this your book? (is dis yur buk)
Sí.   Yes, it is. (ies it is)
Es mi libro.   It's my book. (its mai buk)
Es mío.   It's mine. (its main)
No. Es del abuelo.   No, it isn't. It's grandfather's.
                                 (nou, it isnt. Its grandfaders)

Posesivos	Pronunciación	Significado
My	Mái	Mi, Mis
Your	Yur	Tu, Tus
His	Jis	Su, Sus (de Él)
Her	Jer	Su, Sus (de Ella)
Their	Zdéær	Su, Sus (de Ellos o Ellas)
Our	Áur	Nuestro, Nuestra, Nuestros, Nuestras
Your	Yur	Vuestro, Vuestra, Vuestros, Vuestras
Your	Yur	Su, Sus (de Usted o Ustedes)

Español	Inglés	Pronunciación
Este animal	This animal	Zdís ánimal
Estos libros	These books	Zdíis buks
Aquella mesa	That table	Zdat téibol
Aquellos niños	Those boys	Zdóus bóis
Mi primo	My cousin	Mái cósin
Tus ojos	Your eyes	Yur áis
Sus (de él) zapatos	His shoes	Jis shus
Su (de ella) relój	Her watch	Jer uátch
Su (de ellos) escuela	Their school	Zdéær skul
Nuestra casa	Our house	Áur jáus
Su (de ustedes) familia	Your family	Yur fámili

El Armario - The Closet (Zdæ Clóset)

Español	Inglés	Pronunciación
abrigo	coat	cóut
billetera	wallet	uálet
blusas	blouses	bláuses
bolsos	hand bags	jand bags
botas	boots	buts
cajas	boxes	bókses
camisas	shirts	shoerts
cinturón	belt	belt
corbatas	neckties	néktais
faldas	skirts	skoerts
gabardina	raincoat	réincout
maletas	bags	bags
pantalones	pants	pants
pantalones de mezclilla	jeans	yins
pañuelos	handkerchiefs	jandkerchivs
portafolio	breafcase	brifkéis
ropa interior	underwear	onderuér
sombrero	hat	jat
sombrilla	umbrella	ombréla
vestidos	dresses	dréses
zapatos	shoes	shús

¿De quién son estas cosas? Whose are these things? (Jus ar dis zdings)

Whose hat is this?   It's Alice's hat. (Its Alices jat)
(Jus jat is dis)   It's her hat. (Its jer jat)

Whose _____ is this?   It's _____

coat

waistcoat

suit

shirt

culottes

belt

gloves

bootees

shoe

hood

diapers

jacket

trousers

slip

dress

IV. Vocabulario Básico

Bien, pues ahora que ya tienes una idea general de las letras, números, artículos y posesivos, así como su pronunciación correcta, debes empezar a adquirir un vocabulario poco a poco para hacer más grande tu conocimiento del idioma inglés.

Sin embargo, te recomendamos que sigas repasando el primer capítulo del libro sobre la pronunciación de letras y números, pues mientras más lo practiques, te será más fácil seguir adelante.

A continuación, te presentaremos varios listados de palabras comunes que te serán de enorme utilidad para empezar a formar frases. No trates de memorizarlas todas inmediatamente, pues eso, además de causarte un enorme dolor de cabeza, sólo hará que te canses y dejes de interesarte en el idioma. No creas que esto es de un día para otro, ni empieces a desesperarte. Si vas poco a poco, dando pasos firmes, verás que pronto lograrás entablar una conversación en inglés.

Personas

Palabra (Inglés)	Pronunciación	Significado
Assistant	Asístent	Ayudante
Aunt	Aont	Tía
Boss	Bos	Jefe
Boy	Bói	Niño
Brother	Bróder	Hermano
Brother in law	Bróder in ló	Cuñado
Butcher	Búcher	Carnicero
Cook	Kuk	Cocinero
Cousin	Cósin	Primo

Daughter	Dórer	Hija
Doctor	Dóctor	Doctor
Driver	Dráiver	Chofer
Examiner	Eksáminer	Examinador
Father	Fáder	Padre
Father in law	Fáder in ló	Suegro
Fireman	Fáiermæn	Bombero
Friend	Frend	Amigo
Girl	Goerl	Niña
God	Gad	Dios
God-father	Gad-fáder	Padrino
God-son/God-daughter	Gad-son/Gad-dórer	Ahijado/Ahijada
Grandfather	Grænfáder	Abuelo
Grandmother	Grænmóder	Abuela
Grandparents	Grænpárents	Abuelos
He	Ji	Él
Husband	Jæsband	Esposo
I	Ái	Yo
It	It	El, La (cosas, animales)
Lawyer	Lóyoer	Abogado
Man	Mæn	Hombre
Mother	Móder	Madre
Mother in law	Móder in ló	Suegra
Name	Néim	Nombre
Nephew	Néfiu	Sobrino
Nurse	Nærs	Enfermera
Officer	Ófiser	Oficial
Parents	Párents	Padres
Policeman	Polísman	Policía
Postman	Poustmæn	Cartero
Priest	Prist	Cura, Sacerdote
Secretary	Secretaeri	Secretaria
She	Shí	Ella
Sister	Síster	Hermana
Sister in law	Síster in ló	Cuñada

Son	Son	Hijo
They	Zdéi	Ellos
Thief	Zdíf	Ladrón
Uncle	Ónkol	Tío
Waitress	Uéitres	Mesera
We	Uí	Nosotros
Wife	Uáif	Esposa
Women	Uómæn	Mujer
You	Yú	Tú

Los Oficios - The Occupations
(Zdí Okiupáishons)

Español	Inglés	Pronunciación
abogado	lawyer	lóyer
actor	actor	áctor
actriz	actress	áctres
albañil	mason	méison
alcalde	mayor	méer
artista	artist	ártist
barbero	barber	bárber
bombero	fireman	fáiermæn
cantante	singer	sínguer
carpintero	carpenter	cárpenter
cartero	mailman	méilmæn
cirujano	surgeon	soeryoen
costurera	dressmaker	dresméiker
dentista	dentist	déntist
diputado	deputy	dépiuty
doctor	doctor	dóctor
embajada	embassy	émbasi
embajador	ambassador	ambásador
enfermera	nurse	noers
escritor	writer	ráitoer
gobernador	governor	góvernor

ingeniero	engineer	ényinir
joyero	jeweller	yuéloer
juez	judge	yódch
lechero	milkman	mílkmæn
maestro	teacher	tícher
mago	magician	mayíshian
ministro	minister	mínister
músico	musician	miusíshan
payaso	clown	cláun
peluquero	hairdresser	jérdreser
pintor	painter	péinter
policía	policeman, cop	polísmæn, caop
presidente	president	président
princesa	princess	prínses
príncipe	prince	príns
procurador	attorney	atuérni
profesor	professor	profésor
químico	chemist	kémist
reina	queen	kuín
rey	king	king
sastre	tailor	téilor
zapatero	shoemaker	shúmeiker

Sopa de letras

Encuentra las siguientes palabras en inglés:

 cocinera

 mesera

 carnicero

chofer

 jefe

secretaria

Jesse Ituarte

policía

doctor

bombero

ladrón

esposos

esposa

esposo

niño

hermana

hija

hermano

niña

abuelos

U	P	B	D	T	L	M	B	A	T	D	F	O	D	L	B	G	N
R	O	H	F	A	B	Y	R	W	P	R	I	E	S	T	M	R	T
T	L	N	R	S	U	J	O	Q	D	I	R	C	B	H	F	A	O
S	I	B	D	E	Y	G	T	N	F	V	E	L	T	I	R	N	I
H	C	O	O	K	B	R	H	L	C	E	M	A	R	E	W	D	H
N	E	Y	C	U	P	E	E	T	O	R	A	S	L	F	B	M	Y
F	M	W	T	H	Y	T	R	U	E	B	N	Z	G	X	R	O	L
B	A	S	O	F	C	S	J	G	I	R	L	H	W	U	N	T	E
H	N	Z	R	U	Y	I	N	X	W	A	G	O	L	B	C	H	A
P	A	R	E	N	T	S	B	U	T	C	H	E	R	U	S	E	G
A	W	T	E	Z	D	S	E	C	R	E	T	A	R	Y	F	R	A
L	Y	H	T	F	B	O	S	S	G	S	I	U	M	H	E	S	I
J	O	R	U	L	I	N	F	R	A	U	E	L	O	I	S	A	T
T	Z	M	C	K	Q	W	A	I	T	R	E	S	S	Y	N	X	U
H	U	S	B	A	N	D	G	R	A	N	D	F	A	T	H	E	R

Usa el siguiente cuadro para formar oraciones sobre las personas y sus profesiones.

PERSONA	"ES"	PROFESIÓN
Mr. Smith	is	A lawyer
His wife	is	A nurse
His father	is	A mailman
His mother	is	A dressmaker
His daughter	is	A singer
His son	is	A writer
Mr. Fox	is	The president
His sister	is	A dentist
His brother	is	A teacher
His sister in law	is	An artist
His friend	is	A shoemaker
Mary	is	An actres
Peter	is	A policeman
Steve	is	A musician
Joe	is	A magician
Mr. Knight	is	A judge
Mrs. Brown	is	A chemist
Jane	is	A painter
Bob	is	A fireman

La Casa - The House (Zdæ Jáus)

Español	Inglés	Pronunciación
alfombra	carpet	carpet
árbol	tree	tri
automóvil	car	car
baño	bathroom	bazdrúm
buzón	mailbox	méilbox
casa	house	jáus
cenicero	ashtray	ashtréi
cesto	basket	básket
chimenea	chimney	chímni
cigarrillo	cigarette	cigarrét
cochera	garage	garásh
cocina	kitchen	kitchen
cojines	cushions	cúshons
comedor	dinning room	dáining rum
cortinas	drapes	dréips
cuarto de lavado	laundry room	lóndri rum
entrada de autos	driveway	dráivuei
flores	flowers	fláuers
gato	cat	cat
interruptor de la luz	light switch	láit suích
jardín	garden	gárden
lámpara	lamp	lamp
mesa de centro	coffe table	cófi téibol
pájaro	bird	berd
patio trasero	backyard	bakyard
pecera	fish tank	fish tank
perro	dog	dog
persianas	blinds	bláinds
pez	fish	fish
pipa	pipe	páip
piscina	pool	pul
planta	plant	plant

pórtico	porshe	pórsh
puerta	door	dor
recámara	bedroom	bedrúm
sala	living room	líving rum
sofá	sofa	sóufa
techo (exterior)	roof	ruf
techo (interior)	ceiling	síling
ventana	window	uíndou

La recámara y el Baño - The Bedroom and the Bathroom (Zdæ Bédrum end zdæ Bázdrum)

Español	Inglés	Pronunciación
alfombra	rug	róg
almohada	pillow	pílou
armario	closet	clóset
bocina	speaker	spíker
brillo (maquillaje)	gloss	glos
cama	bed	bed
cepillo	brush	brosh
cepillo de dientes	tooth brush	tud brosh
cortina	curtain	koertein
crema de afeitar	shaving cream	shéiving crím
desodorante	deodorant	diódorent
ducha	shower	sháuer
espejo	mirror	mírror
fijador de pelo	hair spray	jer spréi
frazada	blanket	blánket
inodoro	toilet	tóilet
jabón	soap	sóup
lápiz labial	lipstick	lípstik

librero	book case	buk kéis
mesa de noche	night table	náigt téibol
navaja	razor	réisor
pantuflas	slippers	slípers
pasta de dientes	tooth paste	tud péist
peine	comb	comb
perfume	perfume	perfiúm
polvo de maquillaje	face powder	féis páuder
radio	radio	réidio
reproductor de discos compactos	c.d. player	si di pléyer
ropa	clothes	clóuds
sábana	sheet	shít
secadora de pelo	hair dryer	jer dráier
silla	chair	cher
teléfono	telephone	télefoun
televisor	t.v. set	ti vi set
tina	bathtub	bádtob
toalla	towel	táuel
video grabadora	v.c.r.	vi si ar

Cosas cotidianas

Palabra (Inglés)	Pronunciación	Significado
backyard	bákyard	patio trasero
bathroom	bádrum	baño
beans	bíns	frijoles
bed	bed	cama
bedroom	bedrum	recámara, habitación
blanket	blánket	frazada
book	buk	libro
breakfast	bréikfast	desayuno, almuerzo
cat	kat	gato
chair	chér	silla

clock	clok	reloj de pared
coffe	cófi	café
computer	compiúrer	computadora
dining room	dáinin rum	comedor
dinner	diner	comida, cena
dog	dog	perro
fish	fish	pescado
flower	fláuer	flor
fork	fork	tenedor
kitchen	kíchen	cocina
lamp	lámp	lámpara
meat	mít	carne
milk	milk	leche
mirror	mirroer	espejo
notebook	noutbuk	cuaderno
office	ófis	oficina
pants	pánts	pantalones
paper	péiper	papel
pen	pen	pluma
pencil	pénsil	lápiz
pilow	pílou	almohada
rice	ráis	arroz
ring	ring	anillo
shirt	shert	camisa
shoe	shú	zapato
skirt	skoert	falda
sox	sóks	calcetín, calceta
spoon	spún	cuchara
stove	stóuv	estufa
sugar	shúgar	azúcar
supper	sóper	cena
table	téibol	mesa
tree	trí	árbol
underware	óndergüer	ropa interior
watch	uách	reloj de pulsera

Where is the _____? (thing)
It is in the _____ (room)

Ejercicios

Una vez que hayas practicado y estudiado lo anterior, empecemos por poner en práctica lo aprendido hasta aquí.

Ahora que ya conoces el sonido de cada letra, y cómo aplicarlo a cada palabra, así como los artículos, los adjetivos demostrativos y los números, puedes empezar a formar pequeñas frases como las siguientes:

Español	Inglés	Pronunciación
1 lápiz	One pencil	Uán pénsil
25 flores	Twenty five flowers	Tuénti fáiv flauers
100 árboles	One hundred trees	Uán joendred trís
2,600 dólares	Two thousand six hundred dollars	Tu záusand six joendred dólars
1,000,000 niños	A/One million boys	Ei/Uán milioén bois
El papel	The paper	Zdæ péiper
La cama	The bed	Zdæ bed
Los perros	The dogs	Zdæ dogs
Las esposas	The wives	Zdæ uáifs
Un reloj (pulsera)	A watch	Ei uách
Una tía	An aunt	Æn aont
Este reloj (pared)	This clock	Zdís clók
Esta computadora	This computer	Zdís compiurer
Estos primos	These cousins	Zdíis cósins
Estas lámparas	These lamps	Zdíis lámps
Aquella mesa	That table	Zdát téibol
Ese sacerdote	That priest	Zdát príst
Esa enfermera	That nurse	Zdát nærs
Aquellos hermanos	Those brothers	Zdóus bróders
Aquellas hermanas	Those sisters	Zdóus sísters
Esos baños	Those bathrooms	Zdóus bádrums
Esas niñas	Those girls	Zdóus goerls
Mi suegro	My father in law	Mái fáder in ló
Mis cuñadas	My sisters in law	Mái siters in ló

Tu esposo	Your husband	Yur jæsband
Tus abogados	Your lawyers	Yur lóyers
(Él) Su Dios	His God	Jis Gad
(Él) Sus cuadernos	His notebooks	Jis nóutbuks
(Ella) Su ropa interior	Her underware	Jer óndergüer
(Ella) Sus plumas	Her pens	Jer pens
(Usted) Su almohada	Your pilow	Yur pílou
(Ustedes) Sus pantalones	Your pants	Yur pants
Nuestro padrino	Our God-father	Áur Gad-fáder
Nuestra madrina	Our God-mother	Áur Gad-móder
Nuestros amigos	Our friends	Áur frænds
Nuestras frazadas	Our blankets	Áur blánkets
Vuestro padre	Your father	Yur fáder
Vuestra madre	Your mother	Yur móder
Vuestros abuelos	Your grandparents	Yur grænpárents
Vuestras asistentes	Your assistants	Yur asístents
(Ellos) Su Doctor	Their doctor	Zdéær dóctor
(Ellos) Sus anillos	Their rings	Zdéær rings

En esta tabla, lograrás tener un ejemplo de cada uno de los artículos demostrativos y los adjetivos; además, están números y palabras que ya has aprendido, su pronunciación y escritura.

Como tarea, toma una hoja de papel y un lápiz, y empieza a formar tus propias frases. Puedes consultar las tablas anteriores, pero verás que con estudio y paciencia, poco a poco dejarás de consultar el libro.

Asimismo, te recomendamos tener siempre a la mano un diccionario inglés-español, pues de esta manera, irás aprendiendo palabras que no están en este libro. Aquí, sólo encontrarás palabras comunes y cotidianas que te ayudarán a entablar una conversación correctamente. Si buscas una palabra específica de un tema en particular, lo mejor es buscarla en el diccionario.

V. Singular y Plural

En español, cuando queremos referirnos a algo en plural o singular, generalmente sólo agregamos o quitamos una "s" y listo. En el inglés, también se puede hacer esto en algunas palabras. Sin embargo, hay reglas para hacer plural algo singular.

Si nos encontramos con palabras en singular que tengan la terminación "ch", "sh", "s" y "x", para convertirlas en plural lo único que debemos hacer es agregarles la terminación "es". Por ejemplo:

Español	Inglés Singular	Pronunciación	Inglés Plural	Pronunciación
arbusto	bush	bush	bushes	búshes
iglesia	church	choerch	churches	choerches
impuesto	tax	taks	taxes	takses
vestido	dress	droes	dresses	droeses

Si la palabra que queremos pasar a plural termina en "y" y tiene antes una consonante, lo que debemos hacer es cambiar la "y" por una "i", y finalizarla con "es". Por ejemplo:

Español	Inglés Singular	Pronunciación	Inglés Plural	Pronunciación
bebé	baby	béibi	babies	béibis
copia	copy	kópi	copies	kópis
dama	lady	léidi	ladies	léidis
dulce	candy	kandi	candies	kandis
mosca	fly	flái	flies	fláis

También, cuando nos topamos con palabras singulares que terminan en "fe" o en "f", para hacerlas plurales, debemos cambiar esa terminación por "ves". Por ejemplo:

Español	Inglés Singular	Pronunciación	Inglés Plural	Pronunciación
cuchillo	knife	náif	knives	náivs
esposa	wife	uáif	wives	uáivs
hoja	leaf	líf	leaves	lívs
vida	life	láif	lives	láivs

Asimismo, en el idioma inglés podemos encontrarnos con palabras singulares que, cuando se convierten en plurales, lo hacen de una manera muy irregular. Algunos ejemplos muy comunes de ello son los siguientes:

Español	Inglés Singular	Pronunciación	Inglés Plural	Pronunciación
buey	ox	oks	oxen	óksn
diente	tooth	túd	teeth	tíd
hombre	man	mæn	men	men
mujer	woman	uómæn	women	uímen
niño	child	cháild	children	chíldren
padre	father	fáder	parents	pároents
pie	foot	fút	feet	fít
ratón	mouse	máus	mice	máis

Y si ves alguna palabra que no entre en cualquiera de las categorías anteriores, lo único que debes hacer para convertirlas en plural es agregarles una "s". Por ejemplo:

Español	Inglés Singular	Pronunciación	Inglés Plural	Pronunciación
amigo	friend	froend	friends	froends
árbol	tree	trí	trees	trís
automóvil	car	kár	cars	kárs
cama	bed	béd	beds	béds
doctor	doctor	dóctor	doctors	dóctors
gato	cat	kat	cats	kats
hermano	brother	bróder	brothers	bróders
lámpara	lamp	lámp	lamps	lámps
libro	book	búk	books	búks
perro	dog	dóg	dogs	dógs
pluma	pen	pén	pens	péns
puerta	door	dor	doors	dors
silla	chair	chér	chairs	chérs
tenedor	fork	fórk	forks	fórks
zapato	shoe	shú	shoes	shús

VI. Preposiciones Básicas

Dentro de cualquier idioma, las preposiciones son funda-
mentales para formar frases. Dentro del idioma inglés, podemos
encontrarnos con varias de ellas. A continuación, te presentaremos las más comunes dentro de este idioma.

Preposición (Inglés)	Pronunciación	Significado
at	at	en, a
in	in	en
on	on	encima de, sobre
to	tú	a, hacia
around	æraund	alrededor de

Preposición (Inglés)	Pronunciación	Significado
from	fróm	de, desde, procedente de
under	ónder	abajo, debajo
behind	bijáind	detrás, atrás
within	uidín	dentro
over	óver	encima
far	far	lejos

Para saber en qué momento utilizar cada una de las anteriores preposiciones, debemos estar muy atentos a lo que en verdad queremos decir, pues muchas ocasiones, diferentes palabras se pueden traducir al español de la misma manera, pero tienen una diferencia muy grande en cuanto a lo que deseamos comunicar.

Por ejemplo, si queremos referirnos a un lugar u hora específica, debemos utilizar el "at". Si nuestra intención es manifestar algo que se encuentra dentro de algo, utilicemos el "in". Ambas preposiciones tiene el mismo significado en español, pero en inglés son muy diferentes.

La preposición "on" se usa cuando queremos referirnos a una cosa o persona que se encuentra sobre o encima de algo. Para usar correctamente "to", debemos mencionarla al querer indicar un lugar al cual nos dirigimos.

Por lo que toca a "around" no hay mayor problema, pues no tiene similar con ninguna otra preposición. Pero cuando utilicemos "from", debemos tener en cuenta que se trata de algo o alguien que procede o viene desde algún lugar o de alguien.

Algunos ejemplos de cómo utilizar las preposiciones anteriores, echando mano de todo lo que hemos visto hasta ahora, pueden ser los siguientes:

Frase en Inglés	Pronunciación	Traducción
at your house	at yúr jáus	en tu casa
at eleven	at iléven	a las once
in your work	in yúr uórk	en tu trabajo
in méxico	in méxico	en méxico
on my chair	on mái chér	sobre/encima de mi silla
on the table	on zdæ téibol	sobre/encima de la mesa
to their office	tú zdéær ófis	a/hacia su oficina
to her doctor	tú jer dóctor	a/hacia su doctor
around the clock	æraund zdæ klok	alrededor del reloj
around his sister	æraund jis sister	alrededor de su hermana
from our grandfather	from áuer grandfáder	de nuestro abuelo
from your brother	from yúr bróder	de tu hermano

Con estos ejemplos ya bien estudiados, toma papel y lápiz y empieza a formar tus propias frases. Pon en práctica lo que has logrado aprender hasta este momento. Recuerda que la práctica hace al maestro. No creas que por haber entendido algo, ya no lo necesitas repasar.

Es muy importante que no dejes de seguir estudiando todo lo visto, pues al final de este libro, te podrás dar cuenta de que cada una de las lecciones en él, siempre serán necesarias mientras estés hablando en inglés.

Mary is _____ the office

Mario is_____ that airplane

The vineyard is far _____ the mountains.

The coffe table is _____ the plant.

Jim is _____ the desk.

The chikcen is _____ the hencop.

The policeman _____ the motorcycle.

The theater is _____ from hom.

VII. Pronombres

Antes de entrar a los verbos, es importante que aprendas bien cuáles son los pronombres que utilizarás para formar frases más complejas que las vistas anteriormente. Trata de memorizar bien cada uno de ellos, pues te serán indispensables a la hora de entablar una conversación.

Obviamente, la pronunciación de los pronombres también es importante, así que debes practicarla, al igual que todas las palabras, letras y números vistos hasta aquí, en voz alta. Puedes hacer uso de una grabadora para que escuches tus aciertos y errores.

Los pronombres básicos en inglés son los siguientes:

Personales

Los de la primera lista son sujetos y se usan antes del verbo. Los de la segunda lista se usan después del verbo o de una preposición.

Inglés	Pronunciación	Significado
I	Ái	Yo
You	Yu	Tú
He	Ji	Él
She	Shi	Ella
It	It	Ello, eso (cosa)
We	Uí	Nosotros(as)
You	Yu	Usted(es)
They	Zdéi	Ellos(as)
Me	Mi	Me, a mí
You	Yu	Te, a ti
Him	Jim	Le, a él
Her	Jer	La, a ella
It	It	Le(a), a ello (eso)
Us	As	Nos, a nosotros(as)
You	Yu	Le(s), a usted(es)
Them	Zdem	Les, a ellos(as)

Jesse Ituarte

He see it

He sees them

She sees them

They see her

You see me

VIII. Los Verbos

Dentro del idioma inglés, al igual que en las demás lenguas, existen miles de verbos que son utilizados cotidianamente para expresar cambios, movimientos, acciones o alteraciones de las cosas o personas con respecto a lo que los rodea.

Básicamente, existen dos tipos de verbos en inglés: regulares e irregulares. Los verbos regulares, a la hora de pasarlos a otro tiempo (pasado o participio), lo único que se hace es agregarles la terminación "ed". Cuando encontremos un verbo que termine en "e", sólo agregaremos la "d" y listo. Si el verbo termina en "y" precedida de una consonante, quitaremos esta y pondremos "ied".

Así pues, con excepción de la tercera persona del singular en presente, el verbo se escribirá igual para todas las demás personas en cualquier tiempo.

Los verbos irregulares por su parte, tienen una manera muy diferente de escribirse en presente, pasado o participio; aunque hay ocasiones, en que el pasado y el participio es el mismo. Es muy importante tratar de memorizar cuáles son los verbos regulares e irregulares, pues si no se hace esto, se cometerán muchos errores a la hora de transportarlos a otro tiempo.

Y como es prácticamente imposible memorizar cada uno de los verbos en inglés, a continuación te presentamos un listado de los más comunes para que acudas a ellos cuando los necesites. No obstante, sí será necesario que trates de aprenderte los más comunes, ya sean regulares o irregulares.

En esta lista, encontrarás presente, pasado y participio de cada uno de los verbos más utilizados por los norteamericanos. Abajo de cada uno de ellos, podrás ver la pronunciación correcta.

Verbos Regulares

Verbo (Español)	Presente (Inglés)	Pasado (Inglés)	Participio (Inglés)
Abastecer	To supply Tu suplái	supplied supláid	supplied supláid
Abrir	To open Tu ópen	opened ópend	opened ópend
Aceptar	To accept Tu áksept	accepted aksépted	accepted aksépted
Acordar, estar de acuerdo	To agree Tu agrí	agreed agríd	agreed agríd
Adelantar, superar	To improve Tu imprúfv	improved imprúfd	improved imprúv
Agradecer	To thank Tu zdenk	thanked zdénkd	thanked zdénkd
Agregar, sumar	To add Tu ad	added áded	added áded
Ajustar	To fit Tu fít	fited fíted	fited fíted
Amar	To love Tu lóv	loved lóvd	loved lóvd
Amueblar	To furnish Tu fúrnish	furnished fúrnishd	furnished fúrnishd
Anunciar	To announce Tu anáuns	announced anáunsd	announced anáunsd

Apilar	To pile Tu payl	piled payld	piled payld
Aplaudir	To clap Tu cláp	claped clápd	claped clápd
Aplicar	To aply Tu aplái	aplied apláid	aplied apláid
Apoyar, sostener	To support Tu supórt	supported supórted	supported supórted
Aprender	To learn Tu loern	learned loernd	learned loernd
Apresurar	To hurry Tu joerri	hurried joerrid	hurried joerrid
Arreglar	To fix Tu fiks	fixed fiksd	fixed fiksd
Asistir	To assist Tu asíst	assisted asísted	assisted asísted
Aumentar	To increase Tu incrís	increased incrísd	increased incrísd
Avanzar	To advance Tu advéns	advanced advénsd	advanced advénsd
Ayudar	To help Tu jelp	helped jélpd	helped jélpd
Brincar	To jump Tu yomp	jumped yompd	jumped yompd
Cambiar	To change Tu chéinll	changed chéinlld	changed chéinlld
Caminar	To walk Tu uók	walked uókd	walked uókd
Cargar	To carry Tu kærri	carried kærrid	carried kærrid

Cargar	To load Tu lóud	loaded lóuded	loaded lóuded
Cazar	To hunt Tu jont	hunted jonted	hunted jonted
Cepillar	To brush Tu brosh	brushed broshd	brushed broshd
Cerrar	To close To klóus	closed klóusd	closed klóusd
Colectar, juntar	To collect Tu coléct	collected colécted	collected colécted
Colocar	To place Tu pléis	placed pléisd	placed pléisd
Comparar	To compare Tu compéar	compared compéard	compared compéard
Compartir	To share Tu sher	shared sherd	shared sherd
Completar	To complete Tu complít	completed complíted	completed complíted
Comprar	To purchase Tu poercháis	purchased poercháisd	purchased poercháisd
Comprar	To shop Tu shop	shoped shopd	shoped shopd
Conectar	To connect Tu conéct	connected conécted	connected conécted
Contener	To contain Tu contéin	contained contéind	contained contéind
Contestar	To answer Tu ánser	answered ánserd	answered ánserd
Contestar	To reply Tu riplái	replied ripláid	replied ripláid

Continuar	To continue Tu contíniu	continued contíniud	continued contíniud
Controlar	To control Tu kóntroul	controled kóntrould	controled kóntrould
Corregir	To correct Tu korrékt	corrected korrékted	corrected korrékted
Crear	To create Tu kriéit	created kriéited	created kriéited
Creer	To believe Tu bilív	believed bilívd	believed bilívd
Cruzar	To cross Tu kros	crossed krosd	crossed krosd
Cubrir	To cover Tu kovr	covered kovrd	covered kovrd
Darse cuenta	To realize Tu rialáis	realized rialáisd	realized rialáisd
Decidir	To decide Tu disáid	decided disáided	decided disáided
Dejar caer	To drop Tu dróp	droped drópd	droped drópd
Demandar	To demand Tu dimænd	demanded dimænded	demanded dimænded
Desaparecer	To dissapear Tu disapír	dissapeared disapírd	dissapeared disapírd
Descubrir	To discover Tu discóvr	discovered discóvrd	discovered discóvrd
Desear	To wish Tu uísh	wished uíshd	wished úishd
Desperdiciar	To waste Tu uéist	wasted uéisted	wasted uéisted

Despertar	To awaken Tu auéiken	awakened auéikend	awakened auéikend
Destruir	To destroy Tu distrói	destroyed distróid	destroyed distróid
Detener	To stop Tu stop	stoped stopd	stoped stopd
Disfrutar	To enjoy Tu enyói	enjoyed enyóid	enjoyed enyóid
Duplicar	To double To dobl	doubled dobld	doubled dobld
Ejercitar	To exercise Tu eksersáis	exercised eksersáisd	exercised eksersáisd
Empezar	To start Tu start	started stárted	started stárted
Emplear	To employ Tu emplói	employed emplóid	employed emplóid
Empujar	To push Tu push	pushed pushd	pushed pushd
Encontrar	To found Tu fáund	founded fáunded	founded fáunded
Enseñar	To show Tu shóu	showed shóud	showed shóud
Escoger, tomar	To pick Tu pik	picked pikd	picked pikd
Escuchar	To listen To lísen	listened lísend	listened lísend
Esperar	To wait To uéit	waited uéited	waited uéited
Esperar, desear	To hope Tu jóup	hoped jóupd	hoped jóupd

Establecerse	To establish Tu estáblish	established estáblishd	established estáblishd
Estar, quedarse	To stay Tu stéi	stayed stéid	stayed stéid
Estudiar	To study Tu stoedi	studied stoedid	studied stoedid
Exportar	To export Tu ekspórt	exported ekspórted	exported ekspórted
Expresar	To express Tu eksprés	expressed eksprésd	expressed eksprésd
Extender	To extend Tu eksténd	extended eksténded	extended eksténded
Finalizar	To finish Tu finish	finished finishd	finished finishd
Formar	To form Tu form	formed formd	formed formd
Forzar	To force Tu fors	forced forsd	forced forsd
Ganar	To earn Tu oern	earned oernd	earned oernd
Gobernar	To govern Tu govoern	governed govoernd	governed govoernd
Gritar	To shout Tu sháut	shouted sháuted	shouted sháuted
Gustar	To like Tu láik	liked láikd	liked láikd
Hablar	To talk Tu tok	talked tokd	talked tokd
Importar	To import Tu impórt	imported impórted	imported impórted

Imprimir	To print Tu prínt	printed prínted	printed prínted
Indicar	To indicate Tu indikéit	indicated indikéited	indicated indikéited
Influenciar	To influence Tu ínfluens	influenced ínfluensd	influenced ínfluensd
Informar	To inform Tu infórm	informed infórmd	informed infórmd
Insistir	To insist Tu insíst	insisted insísted	insisted insísted
Inspirar	To inspire Tu inspáir	inspired inspáird	inspired inspáird
Intentar	To try Tu trái	tried tráid	tried tráid
Invitar	To invite Tu inváit	invited inváited	invited inváited
Jalar	To pull Tu pul	pulled puld	pulled puld
Jugar	To play Tu pléi	played pléid	played pléid
Ladrar	To bark Tu bárk	barked bárk)	barked bárkd
Lavar	To wash Tu uásh	washed uáshd	washed uáshd
Liberar	To free Tu frí	freed fríd	freed fríd
Limpiar	To clean Tu clín	cleaned clínd	cleaned clínd
Limitar	To limit Tu límit	limited límited	limited límited

Llamar	To call Tu kol	called kold	called kold
Llegar	To arrive Tu arráiv	arrived arráivd	arrived arráivd
Llenar	To fill Tu fil	filled fild	filled fild
Llover	To rain Tu réin	rained réind	rained réind
Manejar, administrar	To manage Tu mænesh	managed mæneshd	managed mæneshd
Matar	To kill Tu kil	killed kild	killed kild
Mencionar	To mention Tu ménshon	mentioned ménshond	mentioned ménshond
Mezclar	To mix Tu miks	mixed miksd	mixed miksd
Mirar	To look Tu luk	looked lukd	looked lukd
Mojar	To wet Tu uét	wetted uétd	wetted uétd
Morir	To die To dái	died dáid	died dáid
Necesitar	To need Tu nid	needed níded	needed níded
Nombrar	To name Tu néim	named néimed	named náimed
Notar	To notice Tu nóutis	noticed nóutisd	noticed nóutisd
Observar	To observe Tu obsoerv	observed obsoervd	observed obsoervd

Observar	To watch Tu uách	watched uáchd	watched uáchd
Obtener	To obtain Tu obtéin	obtained obtéind	obtained obtéind
Oler	To sniff Tu sníf	sniffed snífd	sniffed snífd
Orar, rezar	To pray Tu préi	prayed préid	prayed préid
Ordenar	To order Tu órder	ordered órderd	ordered órderd
Organizar	To organize Tu organáis	organized organáisd	organized organáisd
Parecer	To seem Tu sim	seemed simd	seemed simd
Pasar	To pass Tu pas	passed pasd	passed pasd
Perdonar	To pardon Tu párdon	pardoned párdond	pardoned párdond
Perdonar, excusar	To excuse Tu eskiús	excused eskiúsd	excused eskiúsd
Permanecer, quedar	To remain Tu riméin	remained riméind	remained riméind
Permitir	To allow Tu aláu	allowed aláud	allowed aláud
Perseguir	To chase Tu chéis	chased chéisd	chased chéisd
Pertenecer	To belong Tu bilóng	belonged bilóngd	belonged bilóngd
Pesar	To weigh Tu uéit	weighted uéied	weighted uéied

Pescar	To fish Tu fish	fished fishd	fished fishd
Practicar	To practice Tu práktis	practiced práktisd	practiced práktisd
Preguntar	To ask Tu ask	asked askd	asked askd
Preocupar	To worry Tu uórri	worried uórrid	worried uórrid
Prevenir	To prevent Tu privént	prevented privénted	prevented privénted
Producir	To produce Tu prodiús	produced prodiúsd	produced prodiúsd
Progresar	To progress Tu prógres	progressed prógresd	progressed prógresd
Prometer	To promise Tu prómis	promised prómisd	promised prómisd
Pronunciar	To pronounce Tu pronáuns	pronounced pronáunsd	pronounced pronáunsd
Proteger	To protect Tu protéct	protected protécted	protected protécted
Protestar	To protest Tu protést	protested protésted	protested protésted
Proveer	To provide Tu prováid	provided prováided	provided prováided
Querer	To want Tu uánt	wanted uánted	wanted uánted
Recibir	To receive Tu risív	received risívd	received risívd
Reclamar	To claim Tu kléim	claimed kléimd	claimed kléimd

Recordar	To remember Tu rimémber	remembered rimémberd	remembered rimémberd
Reemplazar	To replace Tu ripléis	replaced ripléisd	replaced ripléisd
Reglamentar, gobernar	To rule Tu rul	ruled ruld	ruled ruld
Regresar, volver	To return To ritoern	returned ritoernd	returned ritoernd
Rehusar, negar	To refuse Tu rifiús	refused rifiúsd	refused rifiúsd
Reír	To laugh Tu láf	laughed láfd	laughed láfd
Repetir	To repeat To ripít	repeated ripíted	repeated ripíted
Reproducir	To reproduce Tu riprodiús	reproduced riprodiúsd	reproduced riprodiúsd
Requerir	To require Tu rikuáier	required rikuáierd	required rikuáired
Resolver	To solve Tu solv	solved solvd	solved solvd
Respetar	To respect Tu rispéct	respected rispécted	respected rispécted
Restar	To rest Tu rést	rested résted	rested résted
Salvar	To save Tu séiv	saved séivd	saved séivd
Satisfacer	To satisfy Tu satisfái	satisfied satisfáired	satisfied satisfáired
Secar	To dry Tu drái	dried dráid	dried dráid

Seguir	To follow Tu fálou	followed fáloud	followed fáloud
Seleccionar	To select Tu seléct	selected selécted	selected selécted
Servir	To serve Tu soerv	served soervd	served soervd
Sonreír	To smile Tu smáil	smiled smáild	smiled smáild
Suceder	To happen Tu jápen	happened jápend	happened jápend
Sugerir	To suggest Tu sugllést	suggested sugllésted	suggested sugllésted
Tener éxito, sobresalir	To succeed Tu suksíd	succeeded suksíded	succeeded suksíded
Terminar, finalizar	To end Tu end	ended énded	ended énded
Trabajar	To work Tu uórk	worked uórkd	worked uórked
Transmitir	To transmit Tu transmít	transmited transmíted	transmited transmíted
Unir, asistir	To join Tu yóin	joined yóind	joined yóind
Usar	To use Tu iús	used iúsd	used iúsd
Vestir	To dress Tu dres	dressed dresd	dressed dresd
Viajar	To travel Tu trávoel	traveled trávoeld	traveled trávoeld
Visitar	To visit To vísit	visited vísited	visited vísited

Vivir	To live Tu lív	lived lívd	lived lívd
Volverse, dar vuelta	To turn Tu toern	turned toernd	turned toernd
Votar	To vote Tu vóut	voted vóuted	voted vóuted

Encuentra los verbos que se muestran en los dibujos:

abrir

estudiar

caminar

cepillar

gritar

pescar

llover

empujar

contestar

trabajar

limpiar

reír

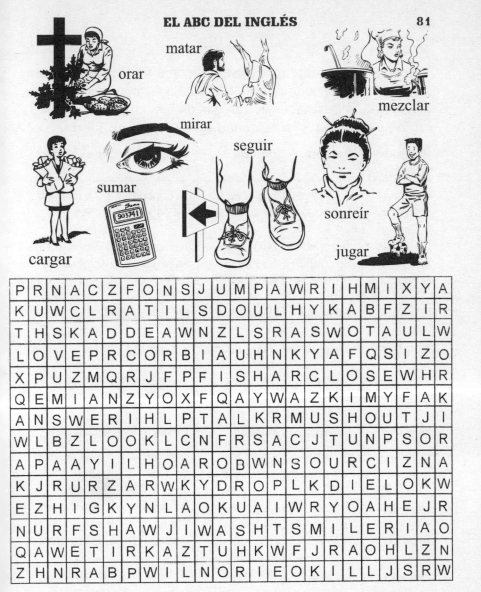

orar

matar

mezclar

mirar

seguir

sumar

sonreír

cargar

jugar

A continuación, te mostraremos la manera de conjugar algunos verbos en presente y pasado. El tiempo pasado siempre necesita de un auxiliar, pero eso lo veremos más adelante.

Es muy importante que observes cómo modificar el verbo para las terceras personas (él, ella, ello o eso) en presente. Lo único que debes hacer es agregar un "es" cuando terminen en "o", y sólo una "s" si terminan de cualquier otra forma:

Presente (Inglés)	Pronun.	Pasado	Pronun.	Significado
I open	Ái óupen	I opened	Ái óupend	Yo abro, abrí
You open	Yu óupen	You opened	Yu óupend	Tú abres, abríste
He opens	Ji óupens	He opened	Ji óupend	Él abre, abrió
She opens	Shi óupens	She opened	Shi óupend	Ella abre, abrió
It opens	It óupens	It opened	It óupend	Eso/ello abre, abrió
We open	Uí óupen	We opened	Uí óupend	Nosotros abrimos
You open	Yu óupen	You opened	Yu óupend	Ustedes abren, abrieron
They open	Zdéi óupen	They opened	Zdéi óupend	Ellos abren, abrieron

Presente	Pronun.	Pasado	Pronun.	Significado
I love	Ái lov	I loved	Ái lovd	Yo amo, amé
You love	Yu lov	You loved	Yu lovd	Tú amas, amaste
He loves	Ji lovs	He loved	Ji lovd	Él ama, amó
She loves	Shi lovs	She loved	Shi lovd	Ella ama, amó
It loves	It lovs	It loved	It lovd	Eso/ello ama, amó
We love	Uí lov	We loved	Uí lovd	Nosotros amamos
You love	Yu lov	You loved	Yu lovd	Ustedes aman, amaron
They love	Zdéi lov	They loved	Zdéi lovd	Ellos aman, amaron

Presente	Pronun.	Pasasado	Pronun.	Significado
I walk	Ái uók	I walked	Ái uókd	Yo camino, caminé
You walk	Yu uók	You walked	Yu uókd	Tú caminas, caminaste
He walks	Ji uóks	He walked	Ji uókd	Él camina, caminó
She walks	Shi uóks	She walked	Shi uókd	Ella camina, caminó
It walks	It uóks	It walked	It uókd	Eso/ello camina, caminó
We walk	Uí uók	We walked	Uí uókd	Nosotros caminamos
You walk	Yu uók	You walked	Yu uókd	Ustedes caminan, caminaron
They walk	Zdéi uók	They walked	Zdéi uókd	Ellos caminan, caminaron

Presente	Pronun.	Pasado	Pronun.	Significado
I wash	Ái uásh	I washed	Ái uáshd	Yo lavo, lavé
You wash	Yu uásh	You washed	Yu uáshd	Tú lavas, lavaste
He washes	Ji uáshes	He washed	Ji uáshd	Él lava, lavó
She washes	Shi uáshes	She washed	Shi uáshd	Ella lava, lavó
It washes	It uáshes	It washed	It uáshd	Eso/ello lava, lavó
We wash	Uí uásh	We washed	Uí uáshd	Nosotros lavamos
You wash	Yu uásh	You washed	Yu uáshd	Ustedes lavan, lavaron
They wash	Zdéi uásh	They washed	Zdéi uáshd	Ellos lavan, lavaron

Presente	Pronun.	Pasado	Pronun.	Significado
I believe	Ái bilív	I believed	Ái bilívd	Yo creo, creí
You believe	Yu bilív	You believed	Yu bilívd	Tú crees, creíste
He believes	Ji bilívs	He believed	Ji bilívd	Él cree, creyó
She believes	Shi bilívs	She believed	Shi bilívd	Ella cree, creyó
It believes	It bilívs	It believed	It bilívd	Eso/ello cree, creyó
We believe	Uí bilív	We believed	Uí bilívd	Nosotros creemos, creímos
You believe	Yu bilív	You believed	Yu bilívd	Ustedes creen, creyeron
They believe	Zdéi bilív	They believed	Zdéi bilívd	Ellos creen, creyeron

Verbos Irregulares

Verbo (Español)	Presente (Inglés)	Pasado (Inglés)	Participio (Inglés)
Agitar	To shake / Tu shéik	shook / shuk	shaken / shéiken
Atrapar	To catch / Tu katch	caught / kót	caught / kót
Barrer	To sweep / Tu suíp	swept / suépt	swept / suépt
Beber	To drink / Tu drink	drank / drank	drunk / drunk
Brillar	To shine / Tu sháin	shone / shóun	shone / shóun
Cabalgar, montar	To ride / Tu ráid	rode / róud	ridden / ríden

Caer	To fall Tu fol	fell fel	fallen fólcn
Cantar	To sing Tu sing	sang sang	sung song
Cerrar	To shut Tu shat	shut shat	shut shat
Colgar	To hang Tu jang	hung jong	hung jong
Comenzar, empezar	To begin Tu bigín	began bigán	begun bigón
Comer	To eat Tu it	ate éit	eaten íten
Comprar	To buy Tu bay	bought bot	bought bot
Conducir, manejar	To drive Tu dráiv	drove drov	driven dríven
Congelar	To freeze Tu fris	froze fróus	frozen fróusen
Conocer	To know Tu nóu	knew niu	known nóun
Construir	To build Tu bild	built bilt	built bilt
Correr	To run Tu ron	ran ræn	run ron
Cortar	To cut Tu cot	cut cot	cut cot
Crecer	To grow Tu gróu	grew grú	grown gróun
Dar	To give Tu guiv	gave géiv	given guíven

Decir	To say Tu séi	said sed	said sed
Decir, contar	To tell Tu tel	told tóuld	told tóuld
Dejar, permitir	To let Tu let	let let	let let
Dejar, salir	To leave Tu liv	left léft	left léft
Despertar	To awake Tu auéik	awoke auóuk	awoke auóuk
Despertar	To wake up Tu uéik ap	woke up uók ap	woken up uóken up
Dormir	To sleep Tu slíp	slept slépt	slept slépt
Encabezar, guiar	To lead Tu lid	led led	led led
Encontrar, conocer	To meet Tu mit	met met	met met
Encontrar, hallar	To find Tu fáind	found fáund	found fáund
Enseñar	To teach Tu tich	taught tót	taught tót
Entender	To understand Tu ondersténd	understood onderstúd	understood onderstúd
Enviar	To send Tu send	sent sent	sent sent
Escoger	To choose Tu chús	chose chóus	chosen chóusen
Esconder	To hide Tu jáid	hid jid	hidden jíden

Escribir	To wright Tu ráit	wrote róut	written ríten
Escuchar	To hear Tu jir	heard joerd	heard joerd
Ganar	To win Tu uín	won uón	won uón
Gastar, pasar	To spend Tu spend	spent spent	spent spent
Golpear	To hit Tu jit	hit jit	hit jit
Guardar, conservar	To keep Tu kip	kept kept	kept kept
Hablar	To speak Tu spík	spoke spóuk	spoken spóuken
Hacer	To do Tu du	did did	done don
Hacer, manufacturar	To make Tu méik	made méid	made méid
Iluminar, alumbrar	To light Tu láigt	lit lit	lit lit
Ir	To go Tu góu	went uént	gone gon
Jurar	To swear Tu suér	swore suór	sworn suórn
Lanzar, aventar	To throw Tu zdróu	threw zdrú	thrown zdróun
Lastimar	To hurt Tu joert	hurt joert	hurt joert
Leer	To read Tu rid	read red	read red

Llegar a ser	To become Tu bikóm	became bikéim	become bikóm
Morder	To bite Tu báit	bit bit	bitten bíten
Nadar	To swim Tu suím	swam suám	swum suóm
Obtener	To get Tu guet	got gat	gotten gáten
Olvidar	To forget Tu forguét	forgot forgát	forgotten forgáten
Pagar	To pay Tu péi	paid péid	paid péid
Pararse, ponerse	To stand Tu stænd	stood stud	stood stud
Pelear	To fight Tu fáigt	fought fogt	fought fogt
Pensar	To think Tu zdínk	thought zdógt	thought zdógt
Perder	To lose Tu lus	lost lost	lost lost
Pintar, dibujar	To draw Tu dro	drew dru	drawn dróun
Poder	can kæn	could kud	could kud
Poner	To put Tu put	put put	put put
Poner, colocar	To set Tu set	set set	set set
Prohibir	To forbid Tu forbíd	forbade forbéid	forbidden forbíden

Quemar	To burn Tu boern	burnt boernt	burnt boernt
Recostar, yacer	To lie Tu lái	lay léi	lain léin
Robar	To steal Tu stil	stole stoul	stolen stóulen
Romper	To break Tu bréik	broke bróuk	broken bróuken
Romper, rasgar	To tear Tu tír	tore tor	torn torn
Sentarse	To sit Tu sit	sat sæt	sat sæt
Sentir	To feel Tu fil	felt felt	felt felt
Ser, estar	To be Tu bi	was, were uás, uér	been bin
Significar	To mean Tu min	meant ment	meant ment
Soñar	To dream Tu drim	dreamt dremt	dreamt dremt
Soplar	To blow Tu blóu	blew blú	blown blóun
Sostener, estrechar	To hold Tu jóuld	held jeld	held jeld
Tener, Haber	To have Tu jav	had jad	had jad
Tocar, sonar	To ring Tu ring	rang ræng	rang ræng
Tomar	To take Tu téik	took tuk	taken téiken

Traer	To bring Tu bring	brought brot	brought brot
Tratar, hacer negocio	To deal Tu dil	dealt delt	dealt delt
Usar, llevar ropa	To wear Tu uér	wore uór	worn uórn
Vender	To sell Tu sel	sold sóuld	sold sóuld
Venir	To come Tu kom	came kéim	come kom
Ver	To see Tu si	saw so	seen sin
Volar	To fly Tu flái	flew flu	flown flóun

Encuentra los tríos de cada verbo. Escribe los números y letras correspondientes junto al verbo en presente.

PRESENTE	PASADO	PARTICIPIO
Catch	1. spoke	a. brought
Write	2. chose	b. lost
Grow	3. thought	c. drunk
See	4. broke	d. slept
Fly	5. swept	e. taught
Lose	6. brought	f. caught
Teach	7. wrote	g. flown
Sell	8. grew	h. seen
Break	9. sold	i. sold
Sweep	10. caught	j. thought
Bring	11. hid	k. broken
Speak	12. taught	l. grown
Slep	13. saw	m. chosen
Think	14. had	n. swept
Choose	15. slept	o. written
Drink	16. lost	p. spoken
Hide	17. flew	q. had
Have	18. drank	r. hidden

Al igual que los verbos regulares, los verbos irregulares se cambian para las terceras personas en presente. A continuación, te presentaremos la forma de conjugar algunos de estos verbos en presente y pasado:

Presente (Inglés)	Pronun.	Pasado	Pronun.	Significado
I drink	Ái drink	I drank	Ái drænk	Yo bebo, bebí
You drink	Yu drink	You drank	Yu drænk	Tú bebes, bebiste
He drinks	Ji drinks	He drank	Ji drænk	Él bebe, bebió
She drinks	Shi drinks	She drank	Shi drænk	Ella bebe, bebió
It drinks	It drinks	It drank	It drænk	Eso/ello bebe, bebió
We drink	Uí drink	We drank	Uí drænk	Nosotros bebemos, bebimos
You drink	Yu drink	You drank	Yu drænk	Ustedes beben, bebieron
They drink	Zdéi drink	They drank	Zdéi drænk	Ellos beben, bebieron

Presente	Pronun.	Pasado	Pronun.	Significado
I drive	Ái dráiv	I drove	Ái dróuv	Yo manejo, manejé
You drive	Yu dráiv	You drove	Yu dróuv	Tú manejas, manejaste
He drives	Ji dráivs	He drove	Ji dróuv	Él maneja, manejó
She drives	Shi dráivs	She drove	Shi dróuv	Ella maneja, manejó
It drives	It dráivs	It drove	It dróuv	Eso/ello maneja, manejó
We drive	Uí dráiv	We drove	Uí dróuv	Nosotros manejamos

| You drives | Yu dráiv | You drove | Yu dróuv | Ustedes manejan, manejaron |
| They drives | Zdéi dráiv | They drove | Zdéi dróuv | Ellos manejan, manejaron |

Presente	Pronun.	Pasado	Pronun.	Significado
I give	Ái guiv	I gave	Ái guéiv	Yo doy, di
You give	Yu guiv	You gave	Yu guéiv	Tú das, diste
He gives	Ji guivs	He gave	Ji guéiv	Él da, dio
She gives	Shi guivs	She gave	Shi guéiv	Ella da, dio
It gives	It guivs	It gave	It guéiv	Eso/ello da, dio
We give	Uí guiv	We gave	Uí guéiv	Nosotros damos, dimos
You give	Yu guiv	You gave	Yu guéiv	Ustedes dan, dieron
They give	Zdéi guiv	They gave	Zdéi guéiv	Ellos dan, dieron

Presente	Pronun.	Pasado	Pronun.	Significado
I say	Ái séi	I said	Ái sed	Yo digo, dije
You say	Yu séi	You said	Yu sed	Tú dices, dijiste
He says	Ji séis	He said	Ji sed	Él dice, dijo
She says	Shi séis	She said	Shi sed	Ella dice, dijo
It says	It séis	It said	It sed	Eso/ello dice, dijo
We say	Uí séi	We said	Uí sed	Nosotros decimos, dijimos
You say	Yu séi	You said	Yu sed	Ustedes dicen, dijeron
They say	Zdéi séi	They said	Zdéi sed	Ellos dicen, dijeron

Presente	Pronun.	Pasado	Pronun.	Significado
I speak	Ái spik	I spoke	Ái spóuk	Yo hablo, hablé
You speak	Yu spik	You spoke	Yu spóuk	Tú hablas, hablaste
He speaks	Ji spiks	He spoke	Ji spóuk	Él habla, habló
She speaks	Shi spiks	She spoke	Shi spóuk	Ella habla, habló
It speaks	It spiks	It spoke	It spóuk	Eso/ello habla, habló
We speak	Uí spik	We spoke	Uí spóuk	Nosotros hablamos
You speak	Yu spik	You spoke	Yu spóuk	Ustedes hablan, hablaron
They speak	Zdéi spik	They spoke	Zdéi spóuk	Ellos hablan, hablaron

Puedes combinar algunos verbos con las palabras que presentamos a continuación y formar frases.

La Comida - The Food (Zdæ Fud)

Español	Inglés	Pronunciación
agua	water	uáter
apio	celery	céleri
arroz	rice	ráis
atún	tuna fish	tuna fish
azúcar	sugar	shúgar
café	coffe	cófi
camarón	shrimp	shruímp
carne	meat	mit
cebolla	onion	ónion
cerdo	pig	pig
cerveza	beer	bir
col	cabbage	cábash

champiñón	mushroom	móshrum
ensalada	salad	sálad
especias	spices	spáises
frijoles	beans	bins
fruta	fruit	frut
garbanzo	chickpea	chíkpi
hamburguesa	hamburguer	jamburguer
huevos	eggs	egs
jamón	ham	jam
jugo	juice	yus
langosta	lobster	lóbster
leche	milk	milk
lechuga	lettuce	létus
limón	lemon	lémon
maíz	corn	corn
mantequilla	butter	bóter
manzana	apple	ápl
mariscos	shellfish	shélfish
melón	melon	mélon
miel	honey	jóni
naranja	orange	órench
papa	potato	potéito
papaya	papaya	papaya
pastel	cake/pie	kéik/pay
pera	pear	pir
pescado	fish	fish
pollo	chicken	chíken
postre	dessert	dæsért
ron	rum	rom
sal	salt	solt
salsa	sause	sos
sandía	watermelon	uátermelon
sopa	soup	sup
tomate	tomato	toméito
toronja	grapefruit	gréipfrut

uva	grape	gréip
verdura, vegetales	vegetables	véshtabls
vino	wine	uáin
aceite	oil	óil
aceituna	olive	ólif
aderezo	dressing	drésing
ajo	garlic	gárlik
arándano	blueberry	blúberri
bizcocho	biscuit	bísket
calabaza	pumpkin	pompkin
cereal	cereal	círriol
cereza	cherry	cherri
chícharo	pea	pi
dona	donut	dónat
frambuesa	raspberry	ráspberri
fresa	strawberry	stróberri
gelatina	jello	yélou
jalea	jelly	yéli
mango	mango	mángou
mayonesa	mayonnice	máyoneis
mermelada	jam/marmalade	yæm/mærmæleid
mostaza	mustard	mostærd
pan	bread	bréd
papas fritas	french fries	french fráis
pepino	cucumber	kiúcumbr
pimienta	pepper	péper
piña	pineapple	páinapl
plátano	banana	banana
puré de papa	mashed potato	masht potéito
queso	cheese	chis
salchicha	sausege	sósech
salsa de tomate	ketchup	kétchaop
tocino	bacon	béikon
zanahoria	carrot	kærrot
zarzamora	blackberry	blákberri

Ahora vamos a hablar un poco sobre la comida utilizando la lista anterior, el cuadro siguiente y otras palabras que te serán útiles. Fíjate en los ejemplos.

Inglés	Pronunciación	Significado
Both	Bóuzd	Ambos
Either	Íder, Áider	Uno u otro
Neither	Níder/Náider	Ni uno, ni otro
Some	Som	Algo, unos
Any	Eni	Alguno, ninguno
Another	Anóder	Otro
Other	Óder	Otros
Nobody	Nóubary	Nadie
Nothing	Nazdíng	Nada
Somebody	Sómbary	Alguien
Something	Somzdíng	Algo
Anybody	Enibary	Cualquiera
Anything	Enizdíng	Algo, nada

INGLÉS	ESPAÑOL
Is there any food on the table?	¿Hay algo de comida en la mesa?
Yes, there is.	Sí hay.
There is some butter on the table.	Hay mantequilla en la mesa.
There is some sugar on the table.	Hay azúcar en la mesa.
There is no ham on the table.	No hay jamón en la mesa.
There isn't any coffee on the table.	No hay café en la mesa.

Is there any soup on the table?   ¿Hay sopa en la mesa?
Yes, there is.   Sí hay.
There's some soup on the table.   Hay sopa en la mesa.

Como puedes ver, la palabra SOME se usa en respuestas afirmativas; la palabra ANY se usa en preguntas y también en respuestas negativas acompañada de NOT.

La palabra NO se usa en respuestas negativas.

Observa también que en todas estas oraciones el verbo es singular: IS. Esta es la forma que se utiliza en inglés al referirse a elementos que no pueden contarse como unidades, ya que son líquidos o granulados.

Pero cuando nos referimos a estos mismos elementos en otra forma, como "vasos de agua" por ejemplo, el verbo cambia a su forma plural: ARE.

There are two cups of coffee on the table.
Hay dos tazas de café en la mesa.

There are some bowls of soup on the table.
Hay algunos tazones de sopa en la mesa.

Cuando nos referimos a cosas que se pueden contar, usamos IS cuando es una sola cosa, y ARE cuando son muchas.

There is a watermelon on the table.	Hay una sandía en la mesa.
There are some pears on the table.	Hay unas peras en la mesa.
There are no apples on the table.	No hay manzanas en la mesa.
There aren't any potatoes on the table.	No hay papas en la mesa.
Are there any oranges on the table?	¿Hay naranjas en la mesa?
Yes, there are.	Sí hay.
There are some oranges on the table.	Hay naranjas en la mesa.

Práctica: mira esta mesa y escribe preguntas y respuestas.

Palabra	Pregunta	Respuesta
Eggs	_____	_____
Orange juice	_____	_____
Milk	_____	_____
Honey	_____	_____
Cakes	_____	_____
Tomatoes	_____	_____
Meat	_____	_____
Beer	_____	_____
Cabbages	_____	_____
Salt	_____	_____

Dos verbos muy importantes en el idioma inglés son "to be" (ser o estar) y "can" (poder). Estos verbos, además de manifestar una acción en una frase, pueden ser utilizados como auxiliares. Más adelante veremos cómo usarlos en forma de auxiliares. Por el momento, trata de aprender bien la manera de conjugarlos en presente y pasado:

Ser o Estar

Presente (Inglés)	Pronun.	Pasado	Pronun.	Significado
I am	Ái em	I was	Ái uás	Yo soy, fui/ estoy, estaba
You are	Yu ar	You were	Yu uér	Tú eres, fuiste/ estás, estabas
He is	Ji is	He was	Ji uás	Él es, fue/está, estaba
She is	Shi is	She was	Shi uás	Ella es, fue/ está estaba
It is	It is	It was	It uás	Eso, ello es, fue/está estaba
We are	Uí ar	We were	Uí uér	Nosotros somos, fuimos/ estamos, estábamos
You are	Yu ar	You were	Yu uér	Ustedes son, fueron/están, estaban
They are	Zdéi ar	They were	Zdéi uér	Ellos son, fueron/están, estaban

Poder

Presente (Inglés)	Pronun.	Pasado	Pronun.	Significado
I can	Ái kæn	I could	Ái kud	Yo puedo, pude
You can	Yu kæn	You could	Yu kud	Tú puedes, pudiste
He can	Ji kæn	He could	Ji kud	Él puede, pudo
She can	Shi kæn	She could	She kud	Ella puede, pudo
It can	It kæn	It could	It kud	Eso/ello puede, pudo
We can	Uí kæn	We could	Uí kud	Nosotros podemos, pudimos
You can	Yu kæn	You could	Yu kud	Ustedes pueden, pudieron
They can	Zdéi kæn	They could	Zdéi kud	Ellos pueden, pudieron

Ejercicio

Una vez que hayas entendido y memorizado los verbos más comunes, es hora de tomar nuevamente el papel y el lápiz y realizar algunos ejercicios que te ayudarán a formar frases más complejas que las anteriores.

En los siguientes ejemplos echaremos mano de artículos, adjetivos, preposiciones, verbos y pronombres. De igual manera, tú deberás formar tus frases con los mismos elementos, pues recuerda que si no practicas lo aprendido, seguramente se te irá olvidando y no tendrá caso seguir adelante. Ten paciencia y muchas ganas, pues de estas dos cosas depende tu éxito en el inglés.

Mi tío Juan está en la oficina	**Frase en español**
My uncle John is at the office	**Frase en inglés**
Mái oncl Yon is at zdí ófis	**Pronunciación**
Yo estaba en tu casa	**Frase en español**
I was at your house	**Frase en inglés**
Ái uás at yur jáus	**Pronunciación**
Nuestro padrino cantó en la iglesia	**Frase en español**
Our god-father sang in the church	**Frase en inglés**
Áur gadfáder sang at zdí choerch	**Pronunciación**
Su amigo compró un auto	**Frase en español**
His friend bought a car	**Frase en inglés**
Jis froend bógt a kar	**Pronunciación**
Sus padres hablaron a México	**Frase en español**
Their parents spoke to México	**Frase en inglés**
Zdéir parents spóuk tu México	**Pronunciación**
Tu madre enseña en la escuela	**Frase en español**
Your mother teaches at school	**Frase en inglés**
Yur móder tiches at skul	**Pronunciación**

Observa detenidamente cada uno de los ejemplos anteriores y trata de formar tus frases y de pronunciarlas. Recuerda hacerlo en voz alta.

En la siguiente parte del libro, empezaremos a utilizar más palabras y auxiliares necesarios para poder hablar perfectamente el inglés. Por ello, es muy importante que repases bien todo lo visto hasta aquí.

IX. Auxiliares

Ahora que ya tienes un conocimiento más amplio acerca de los verbos, algunas palabras relacionadas a la familia y cosas muy generales, es importante que conozcas cuáles son y cómo se usan los auxiliares en inglés para formar frases más complejas.

Dentro de estos auxiliares, te encontrarás con unos verbos que ya has visto y que ya sabes conjugar, sin embargo, también tienen un uso diferente cuando se usan como auxiliares. Estos verbos son "to do", "to have" y "can".

Para que empieces a conocerlos mejor, te presentamos una lista con los auxiliares más comunes y su pronunciación:

Presente (Inglés)	Pronunciación	Pasado (Inglés)	Pronunciación
Do	Du	Did	Did
Does	Das	Did	Did
Will	Uíl	Would	Güd
Can	Kæn	Could	Cud
May	Méi	Might	Máigt
Must	Mast	Should	Shud
Have	Jav	Had	Jad
Has	Jas	Had	Jad
Is	Is	Was	Uás
Are	Ar	Were	Uér

El uso de cada uno de ellos depende de la persona a la cuál nos referimos, así como al tiempo en el que hablamos.

Por ejemplo "do" y "does" se usan cuando preguntamos o negamos algo en presente:

Español	Inglés	Pronunciación
¿Usted habla inglés?	**Do** you speak english?	Du yu spik ínglish?
¿Él toca el piano?	**Does** he play the piano?	Das ji pléi zdí piano?
Yo no veo a mi padre	I **do** not see my father	Ái du nat si mái fáder
Él no entiende español	He **does** not understand spanish	Ji das nat ondersténd spanish
El perro no muerde	The dog **does** not bite	Zdí dog das nat báit

Es muy importante no olvidar que el "do" se usa para "I" (Yo), "You" (Tú, Usted, Ustedes), "We" (nosotros) y "They" (ellos); y el "does" para las terceras personas "He, She, It" (Él, Ella, Eso o ello).

Cuando usemos cualquier auxiliar en pasado o futuro, el verbo de la oración irá en tiempo presente, por ejemplo:

Español	Inglés	Pronunciación
Ella no estudió inglés	She did not **study** english	Shi did nat stodi ínglish
Ellos no bebieron vino	They did not **drink** wine	Zdéi did nat drink uáin
¿Nadaste en la alberca ayer?	Did you **swim** in the pool yesterday?	Did yu suím in zdæ pul yesterdéi?

Para utilizar el "will" y el "would", debemos hacerlo cuando intentemos decir o escribir una acción futura. Este auxiliar se usa igual en todas las personas. No olvides que los verbos siempre irán en presente. Por ejemplo:

Español	Inglés	Pronunciación
Te veré en la escuela	I **will** see you at school	Ái uíl si yu at skul
Ella estará en la oficina	She **will** be in the office	Shi uíl bi in zdí ófis
Nosotros seremos doctores	We **will** be doctors	Uí uíl bi dóctors
Él sería mi cuñado	He **would** be my brother in law	Ji güúd bi mái bróder in lo
Ellos cantarían en la iglesia	They **would** sing at the church	Zdéi güúd sing at zdí choerch

Por lo que respecta al "can" y al "could" (poder), generalmente acompañan frases que necesitan del verbo poder. Por ejemplo:

Español	Inglés	Pronunciación
Yo puedo ver el reloj	I **can** see the clock	Ái kæn si zdí klok
Él puede conducir al trabajo	He **can** drive to work	Ji kæn dráiv tu uórk
No puedes ir a la escuela	You **can** not go to school	Yu kæn nat góu tu skul
Ella podría cocinar en mi casa	She **could** cook at my house	Shi cud kuk at mái jáus
Nosotros no podríamos hacer eso	We **could** not do that	Uí cud nat du zdat

Cuando necesitamos usar la frase "podría" o "es posible que", usaremos el auxiliar "may" o "might", dependiendo del tiempo gramatical en el que estemos. Por ejemplo:

Español	Inglés	Pronunciación
Tú puedes ir al baño	You **may** go to the bathroom	Yu **méi** góu to zdæ bázdrum
Ella puede sentarse en la silla	She **may** sit in the chair	Shi **méi** sit in zdæ cher
Mi padre no puede tomar leche	My father **may** not drink milk	Mái fáder **méi** nat drink milk
Podríamos preguntar al maestro	We **might** ask the teacher	Uí **máigt** ask zdæ tícher
Yo podría escribir a mi hermano	I **might** write to my brother	Ái **máigt** gráit tu mái bróder

El auxiliar "must" (debe) es muy utilizado en las frases donde se hace énfasis en el verbo. Por ejemplo:

Español	Inglés	Pronunciación
Él debe dormir	He **must** sleep	Ji mast slip
Ella debe estudiar	She **must** study	Shi mast stoedi
Nosotros debemos comer	We **must** eat	Uí mast it
Tu papá debe trabajar	Your father **must** work	Yur fáder mast uórk
Ustedes deben tomar una ducha	You **must** take a bath	Yu mast téik a bazd

Cuando utilicemos el verbo "have" (tener o haber), debemos tener cuidado con las terceras personas y con el tiempo gramatical que utilicemos.

"Have" significa "haber" en los tiempos "perfectos":

Present Perfect: I have visited my uncle (He visitado a mi tío).
He has finished the job (Él ha terminado el trabajo).

Past Perfect: I had written four letters (Yo había escrito cuatro cartas).
She had lost her keys (Ella había perdido sus llaves).

Español	Inglés	Pronunciación
Tengo que aprender inglés	I **have** to learn English	Ái jav tu lern inglish
Tienes que limpiar tu cuarto	You **have** to clean your room	Yu jav tu clin yur rum
Él no ha pagado su automóvil	He **has** not paid his car	Ji jas nat péid jis car
Ellos habían visto tres gatos	They **had** seen three cats	Zdéi jav sin zdrí cats
Ella tiene que irse mañana	She **has** to go tomorrow	Shi jas ti góu tumórrou

Finalmente, dentro de los auxiliares más utilizados, podemos encontrarnos con el verbo "to be" (ser o estar). Una característica muy importante, es que los verbos que siguen al "to be", generalmente terminan con "ando" o "endo". En inglés, para poder hacerlo, sólo debemos de agregar "ing" al verbo. En algunos métodos clásicos, a este tiempo se le denomina "presente continuo". Los siguientes ejemplos te darán una idea más amplia de cómo utilizarlos:

Español	Inglés	Pronunciación
La niña está jugando en el patio trasero	The girl **is** play**ing** in the bakcyard	Zdæ goerl is pléying in zdæ bákyard
Mi amigo está hablando a su tío	My friend **is** talk**ing** to his uncle	Mái froend is tolking tu jis oencl
Yo estaba escuchando al sacerdote	I **was** listen**ing** to the priest	Ái uás lísning tu zdæ prist
Ellos estaban esperando el camión	They **were** wait**ing** the bus	Zdéi uér uéiring zdí bas
Mi primo estaba comiendo carne	My cousin **was** eat**ing** meat	Mái kosin uás íting mit

Las siguientes preguntas y respuestas están en desorden. Pon las palabras en el orden correcto de acuerdo a las figuras.

1. you - office
work - do - the - in?
No, - don't - I
in - office - the - work.
factory - work - I - the - in.

2. Are - secretary - a - you?
Yes - am - I.
must - I - letters - these - type.

3. operate - can - machine
this - Bob.
learned - operate
to - today - he - it.
it - could not - he
yesterday - operate.
teach - will - he
tomorrow - us - it - operate - to.

4. Mr. Smith - be - today
late - might.
wife - hospital - his
is - the - in.
broke - she
leg - her.

Presente continuo
(present continuous)
In the park

Describe lo que están haciendo estas personas en el parque. Por ejemplo: The girl is eating an apple.

Ahora di lo mismo en pasado. Por ejemplo: The girl was eating an apple.

Negaciones más comunes

Dentro del idioma inglés, se puede echar mano de ciertos elementos para hacer más corta y cómoda la manera de escribir y de hablar. Uno de estos elementos, es la manera en que muchos estadounidenses utilizan el "not". Lo correcto, dentro de las normas clásicas del idioma es utilizarlo de la siguiente manera:

Presente

Español	Inglés	Pronunciación
Él no es mi hermano	He is not my brother	Ji is nat mái bróder
Tú no eres un doctor	You are not a doctor	Yu ar nat éi dóctor
Nosotros no queremos huevos para desayunar	We do not want eggs for breakfast	Uí du nat uánt egs for brekfast
Ella no visitó a su familia	She does not visit her family	Shi das nat vísit jer fámili

Sin embargo, también se puede abreviar la negación si unimos el auxiliar con "not" y colocamos una "comilla" de la siguiente manera:

Español	Inglés	Pronunciación
Él no es mi hermano	He **isn't** my brother	Ji isnt mái bróder
Tú no eres un doctor	You **aren't** a doctor	Yu arnt éi dóctor
Nosotros no queremos huevos para desayunar	We **don't** want eggs for breakfast	Uí dont uánt egs for brekfast
Ella no visitó a su familia	She **doesn't** visit her family	Shi dasnt vísit jer fámili

Por lo que se refiere al pasado, también se puede hacer de la misma manera. Lo único que debemos cuidar es la utilización del auxiliar y del verbo adecuado. Por ejemplo:

Pasado

Español	Inglés	Pronunciación
Yo no estaba ahí cuando llegaron	I was not there when they arrived	Ái uás nat zder juén zdéi arráivd
Tú no estabas en casa el domingo	You were not at home on sunday	Yu uér nat at jom on sándei
Ustedes no llevaron libros a la escuela	You did not take books to the school	Yu did nat téik buks tu zdæ skul

Y la manera de abreviarlos es la siguiente:

Español	Inglés	Pronunciación
Yo no estaba ahí cuando llegaron	I **wasn't** there when they arrived	Ái uásnt zder juén zdéi arráivd
Tú no estabas en casa el domingo	You **weren't** at home on sunday	Yu uérnt at jom on sándei
Ustedes no llevaron libros a la escuela	You **didn't** take books to the school	Yu didnt téik buks tu zdæ skul

Y si la negación que se quiera hacer es en tiempo futuro, se hará lo siguiente:

Español	Inglés	Pronunciación
Ella no manejará mi automóvil	She will not drive my car	Shi uíl nat dráiv mái car
Yo no comeré esa sopa	I would not eat that soup	Ái güúd nat it zdat sup

Para abreviarlo, haremos el siguiente cambio:

Español	Inglés	Pronunciación
Ella no manejará mi automóvil	She **won't** drive my car	Shi güónt dráiv mái car
Yo no comeré esa sopa	I **wouldn't** eat that soup	Ái güúdnt it zdat sup

Y por lo que toca a los tiempos perfectos, es decir, los que utilizan el auxiliar "have", la negación se hará de la siguiente manera:

Español	Inglés	Pronunciación
Yo no he visto ese árbol	I have not seen that tree	Ái jav nat sin zdat tri
Él no ha estudiado para el exámen	He has not studied for the exam	Ji jas nat stadid for zdi eksám
Nosotros no hemos escalado la montañá	We had not climb the mountain	Uí jad nat cláimb zdæ máuntein

Y para abreviarlo, se hará igual que en los casos anteriores, es decir:

Español	Inglés	Pronunciación
Yo no he visto ese árbol	I **haven't** seen that tree	Ái jav nat sin zdat tri
Él no ha estudiado para el exámen	He **hasn't** studied for the exam	Ji jas nat stadid for zdi eksám
Nosotros no hemos escalado la montaña	We **hadn't** climb the mountain	Uí jad nat climb zdæ máuntein

Los pronombres que terminan en SELF tienen 3 usos en inglés.

Inglés	Pronunciación	Español
Myself	Maisélf	Yo mismo
Yourself	Yursélf	Tú mismo(a)
Himself	Jimsélf	Él mismo
Herself	Jersélf	Ella misma
Itself	Itsélf	Ello mismo
Ourselves	Aursélvs	Nosotros(as) mismos(as)
Yourselves	Yursélvs	Ustedes mismos(as)
Themselves	Zdemsélvs	Ellos(as) mismos(as)

A. Como "reflexivos", cuando la acción del verbo regresa a la persona que la lleva a cabo:

I see myself in the mirror.   You cut yourself with a knife.
Me veo en el espejo.   Te cortaste con un cuchillo.

B. Para indicar que la persona hizo algo sola; sin ayuda de nadie. Aquí la palabra va acompañada de la preposición BY:

He painted the house by himself.   She did her homework by herself.
Pintó la casa él solo.   Hizo su tarea ella sola.

C. Para enfatizar el hecho de que una persona importante fue la que hizo algo:

The king himself visited the hospital. El rey mismo visitó el hospital.

Ejercicio: Usa un pronombre terminado en SELF en cada oración. En el paréntesis escribe A, B, o C, indicando a cual de los tres usos anteriores se refiere.

(   ) 1. Lucy cleaned the house _____. Nobody helped her.
(   ) 2. Maggie hurt _____ with a piece of glass.
(   ) 3. The president _____ answered the petition.
(   ) 4. The ambassador _____ spoke to the children.
(   ) 5. If you know _____ you will feel better.
(   ) 6. People who understand _____ act more intelligently.
(   ) 7. My grandmother _____ cooked these hamburgers.
(   ) 8. She lives _____ in the old house.
(   ) 9. The children cooked _____. Their mother wasn't home.

X. Adverbios

Otros elementos o herramientas de suma importancia dentro del idioma inglés son los adverbios. Éstos te pueden ayudar para hacer más completa la frase u oración que intentas transmitir.

Ya no sólo podrás decir cosas limitadas, sino que con los adverbios, lograrás ser más específico y claro a la hora de hablar o escribir.

A continuación, te presentamos una lista muy completa de adverbios. Estúdiala y empieza a echar mano de ellos.

Español	Inglés	Pronunciación
A menudo, seguido	Often	Ófen
A veces, en ocasiones	Sometimes	Somtaims
Ahora	Now	Náo
Ahora mismo	Just now/Right now	Yast náu/Roáit náu
Al menos, por lo menos	At least	At list
Allí	There	Zder
Antes, delante	Before	Bifór
Aquí	Here	Jir
Así	That way	Zdát uéi
Ayer	Yesterday	Yesterdéi
Bastante, suficiente	Enough	Inóf
Bien	Well	Uél
Casi	Almost	Ólmoust
Cerca	Near	Nir
Ciertamente	Certainly	Soértenli
Como	As	As
Completamente	Quite	Kuait
Cuándo	When	Juén
Cuánto	How much	Jau moech

Cuántos	How many	Jau méni
De ninguna manera	Not at all	Nat at ol
De otra manera	Otherwise	Óderuáis
Demasiado	Too much	Tu moech
Demasiados	Too many	Tu méni
Después	After	Áfter
Dónde	Where	Juér
Dos veces	Twice	Tuáis
Efectivamente, De veras	Indeed	Indíd
En alguna parte	Somewhere	Somjuær
En cualquier parte	Anywhere	Enijuær
En ninguna parte	Nowhere	Noujuær
En seguida	At once	At uáns
Entonces	Then	Zden
Fácilmente	Easily	Ísili
Fuera	Outside	Autsáid
Hoy	Today	Tudéi
Malamente	Badly	Bádli
Mañana	Tomorrow	Tumórrou
Más	More	Mor
Mejor	Better	Bérer
Menos	Less	Les
Mucho	Much	Moech
Muchos	Many	Méni
Muy	Very	Vérri
No	No/Not	Nóu/Nat
Nunca	Never	Néver
Otra vez	Again	Aguén
Peor	Worse	Uórs
Poco	Little	Lirl
Pocos	Few	Fiú
Probablemente	Probably	Probabli
Pronto	Soon	Sun
Quizá	Perhaps/Maybe	Perjáps/Méibi
Seguramente	Surely	Shúrli

Seguro	Sure	Shur
Si	Yes	Yes
Siempre	Always	Óluéis
Sólo	Only	Ónli
Tan	So	Sóu
Tarde	Late	Léit
Temprano	Early	Oerli
Todavía	Yet	Yet
Una vez	Once	Uáns
Ya	Already	Ólreri

Con estos elementos, puedes tomar el lápiz y la hoja, y empezar a formar nuevas frases, ya más completas que las anteriores; inclusive, en una misma frase, podemos encontrar dos o más adverbios Por ejemplo:

Español	Inglés	Pronunciación
¿Estás seguro(a)?	Are you **sure**?	Ar yu shur?
Él es mi único amigo	He is my **only** friend	Ji is mái onli frend
¿Cuánto cuesta el perro?	**How much** is the dog?	Jáu mach is zdí dog
Iré a la oficina mientras limpias la casa	I will go to the office **while** you clean the house	Ái uíl góu to zdí ófis uáil yu clin zdí jáus
Mi tía estuvo aquí ayer	My aunt was **here yesterday**	Mái aont uás jir yesterdéi
Mi hermano está en algún lugar de México	My brother is **somewhere** in México	Mái bróder is somjuér in México
Mi madre cocina tan bien como mi abuela	My mother cooks **as** good **as** my grandmother	Mái móder kuks as gud as mái grandmóder

Ahora puedo manejar mi automóvil	**Now** I can drive my car	Náu ái kæn dráiv mái car
Ahora tengo una vida mejor	**Now** I have a **better** life	Náu ái jav a bérer láif
Pedro va a la iglesia a menudo	Pete goes to church **often**	Pit góus tu choerch ófen
Ella llegó tarde otra vez	She was **late again**	Shi uás léit aguén
El gato está debajo de la mesa	The cat is **under** the table	Zdæ cat is ónder zdæ téibol
Cantaremos dos veces hoy	We will sing **twice today**	Uí uíl sing tuáis tudéi
Tú estás siempre en cama	You are **always** in bed	Yu ar óluéis in bed
Puede esperar afuera	You can wait **outside**	Yu kæn uéit áutsaid

Ahora que ya has visto cómo utilizar algunos adverbios, te invitamos a que formes tus propias oraciones. Ve a tu alrededor y trata de pasar al inglés lo que ves. Ya tienes suficiente conocimiento de cosas, verbos, artículos y tiempos como para poder expresar lo que ves.

Este tipo de ejercicios debes realizarlos de acuerdo a lo que ves y a tus posibilidades. No intentes hacerlo rápidamente, al contrario, tómate tu tiempo y piensa bien lo que vas a escribir o a decir.

A continuación te presentamos palabras que podrás combinar con todo lo que has aprendido hasta aquí, para formar frases u oraciones más completas, con las cuales serás capaz de expresarte en inglés.

Viajes - Trips (Trips)

Español	Inglés	Pronunciación
aeropuerto	airport	érport
asiento	seat	sit
avión	airplane	érplein
barco	ship	ship
camarote	cabin	cábin
camión, autobús	bus	bos
capitán	captain	captén
carretera	road	róud
chofer	driver	dráiver
cinturones de seguridad	seat bealts	sit belts
equipaje	baggage	báguech
estación de tren	train station	tréin stéishon
llegada	arrival	arráival
maleta	bag	bag
océano	ocean	óushcan
pasaporte	passport	pásport
piloto	pilot	páilot
salida	departure	departoer
super carretera	freeway	fríuei
tren	train	tréin
vagón	wagon	uéigon
vía férrea	railway	réiluei
volar	fly	flái

Lugares para Visitar - Places to Visit (Pléises tu Vísit)

Español	Inglés	Pronunciación
acuario	aquarium	akuérium
cafetería	coffe shop	cófi shop

cine	movies/theatre	múvis/zdíerer
circo	circus	církoes
concierto	concert	cóncert
de compras	shopping	shóping
estadio	stadium	stéidium
feria	fair	fer
galería de arte	art gallery	art gáleri
museo	museum	miusíum
parque	park	park
parque de pelota	ball park	bol park
playa	beach	bich
teatro	theatre	zdíerer
zoológico	zoo	ssú
restaurante	restaurant	réstorant

XI. Preposiciones

Las preposiciones son sumamente importantes en el idioma inglés, sobre todo cuando queremos ubicar exactamente algo o a una persona. A continuación te presentamos una lista de las preposiciones más usuales:

Preposición (Español)	Inglés	Pronunciación
A lo largo	along	alóng
A través	across	akrós
A través, Por	through	zdrú
A, Para, Hasta, Hacia	to	tu
Abajo	down	dáun
Acerca de	about	abáut
Alrededor	around	aráund
Arriba	up	ap
Bajo	under, underneath, below	ónder, óndernid, bilóu
Con	with	uíd
Conforme a	according	akórding
Contra	against	aguénst
De	of	of
De, Desde	from	from
Debajo de	beneath	binízd
Delante de	before	bifór
Dentro de	within	uidín
Desde que	since	síns
Después	after	áfter
Detrás	behind	bijáind
Durante	during	dúring
En	in	in
En lugar de	instead of	instéd of
En, A	at	at
En, Dentro	into	íntu

Entre	between, among	bituín, amóng
Excepto	except	eksépt
Fuera de	out	áut
Fuera, Apagado	off	of
Hasta	till/until	til/oentíl
Junto a, Por	by	bái
Más allá	beyond	biyónd
Por	by	bái
Por, Para	for	for
Referente a	concerning, regarding	consérning, rigárding
Sin	without	uidáut
Sobre	on, upon, above, over	on, apón, abóv, óver

Como podrás darte cuenta, hay varias preposiciones en inglés que tienen el mismo significado en español. Esto se debe a que en nuestro idioma no somos tan específicos como en el inglés.

Por ejemplo, en el inglés "in", "at" y "on" significan en español "en". Sin embargo, cada una tiene un sentido específico. A continuación te presentamos unos ejemplos para que observes el uso de cada una de ellas:

Español	Inglés	Pronunciación
Estaré ahí **en** pocos minutos	I will be there **in** few minutes	Ái uíl bi zdér in fiú minoets
Ella estaba **en** cama	She was **in** bed	Shi uás in bed
Te veré **en** la escuela	I will see you **at** school	Ái uíll si yu at skul
Mi hermano está **en** la casa	My brother is **at** home	Mái bróder is at jom
El reloj está **en** la pared	The clock is **on** the wall	Zdæ klók is on zdæ uól
Puedes sentarte **en** la silla	You can sit **on** the chair	Yu kæn sit on zdæ cher

Con estos ejemplos, podemos darnos cuenta que aunque las tres signifiquen lo mismo en español, para el idioma inglés son tres cosas diferentes. "In" se refiere a "dentro de algo" o "tiempo"; "at" se refiere a un lugar determinado; y "on" se refiere a "sobre" o "encima" de algo.

También las preposiciones pueden afectar a los verbos directamente, dando un nuevo significado en algunos de ellos. Los casos más usuales en inglés son los siguientes:

Verbo (Inglés)	Preposición	Frase	Pronunciación	Significado (Español)
To come	by	come by	com bái	aproximarse, acercarse
To come	down	come down	com dáun	bajar
To come	in	come in	com in	entrar
To come	up	come up	com ap	subir
To go	away	go away	góu auéi	retirarse, irse
To go	by	go by	góu bái	pasar
To go	down	go down	góu dáun	bajar
To go	in	go in	góu in	entrar
To go	off, away	go off, go away	góu of	irse
To go	on	go on	góu on	seguir adelante
To go	up	go up	góu ap	subir
To take	away	take away	téik auéi	llevarse
To take	from	take from	téik from	tomar
To take	off	take off	téik of	quitar
To take	to	take to	téik tu	llevar

Algunas frases que sirven para ejemplificar lo anterior pueden ser las siguientes:

Español	Inglés	Pronunciación
¿Quieres **entrar**?	Do you want to **come in**?	Du yu uánt to com in?
Juan, **baja** un momento	John, **come down** for a moment	Yon, com dáun for a móment
Prosigue con tu vida	**Go on** with your life	Góu on uíd yur lif
Márchate, no te quiero ver	**Go away**, I do not want to see you	Góu auéi, ái du nat uánt to si yu
Quítate tus zapatos	**Take off** your shoes	Téik of yur shus
Llévate a ese perro de mi cocina	**Take away** that dog from my kitchen	Téik auéi zdát dog from mái kíchen

Estos verbos compuestos son muy usuales en inglés y se les llama **phrasal verbs**. Por lo tanto, debido a su importancia, nos referiremos a ellos en un capítulo posterior, para tratarlos más ampliamente.

XII. Conjunciones

Antes de entrar a la parte final de este método básico de inglés, es necesario que conozcas cuáles son las conjunciones en inglés más comunes. Con ellas, lograrás unir diferentes tipos de oraciones, logrando tener una fluidez natural a la hora de expresar tus pensamientos.

De la misma manera que sucede con adverbios y preposiciones, en las conjunciones nos toparemos con varias que tienen el mismo significado en español.

A continuación te presentamos un listado de las conjunciones más usuales:

Conjunción	Inglés	Pronunciación
A menos que	unless	oenlés
A no ser que	save	séiv
Para que no,		
No será que	lest	lest
Apenas	scarcely	skérseli
Así	so	sóu
Aún, Siquiera	even	íven
Aunque	though, although	zdóu, oldóu
Como	as	as
Con tal que	provided	prováided
Dondequiera que	wherever	jueréver
Entonces	then	zdén
Mientras	whilst/while	juáilst/juáil
Mientras que	whereas	juéras
Mientras tanto	mean while	min juáil
Ni, Tampoco	neither	náider/níder
O	or, either	or, áider/íder
Pero	but	boet
Por lo tanto	therefore	zdérfor
Porque	because	bicós
Que	that, than	zdát, zdán
Sea como fuere	at any rate	at éni réit
Si	if	if
Si, Sea que	whether	juéder
Siempre que	whenever	juenéver
Sin embargo	however,	jauéver,
	nevertheless,	neverdælés,
	notwuthstanding,	natuidsténding,
	yet	yet
Tan bien como	as well as	as uél as
Y	and	end
Ya que,		
Puesto que	since	síns

Practica las conjunciones en inglés resolviendo el siguiente crucigrama:

Horizontales:
1. pero
2. y
3. dondequiera que
4. sin embargo
5. así
6. si, sea que
7. a menos que
8. mientras

Verticales:
1. ni, tampoco
2. entonces
3. si
4. aunque
5. como

Ejercicio

Algunos ejemplos que te harán entender mejor el uso de las conjunciones, además de seguir practicando lo aprendido hasta aquí, son los siguientes:

Mi hermano **y** mi madre fueron al doctor **porque** estaban enfermos.
My brother **and** my mother went to the doctor **because** they were sick.
Mái bróder end mái móder uént tu zdæ dóctor bicos zdéi uér sik.

Tengo que estudiar mucho, **así** seré un buen maestro.
I have to study a lot, **so** I will be a good teacher.
Ái jav tu stoedi a lot, sóu ái uíl bi a gud tícher.

Mi hermana canta **tan bien como** mi abuela.
My sister sings **as well as** my grandmother.
Mái sister sings as uél as mái granmóder.

Iré a la oficina **mientras** tú llevas a mi madre a la casa.
I will go to the office **while** you take my mother to the house.
Ái uíl góu tu zdæ ófis juáil yu téik mái móder to zdæ jáus.

Ahora que ya has visto algunos ejemplos, es hora de que tomes lápiz y papel, y empieces a hacer tus propias oraciones. Una vez que las hayas escrito, léelas en voz alta y corrige tu pronunciación.

No olvides usar todos los elementos que te hemos proporcionado hasta esta parte del libro. En el siguiente capítulo, te mostraremos cómo hacer oraciones completas y te daremos el vocabulario necesario para diferentes situaciones. Sin embargo, te recomendamos que antes de seguir adelante, practiques mucho lo que has aprendido. Te sorprenderás de lo que ya has avanzado.

XIII. Adjetivos Calificativos

Como bien lo dice su nombre, los adjetivos calificativos se encargan de resaltar o significar cosas y personas debido a sus características. Por ejemplo, con ellos, podemos decir si alguien es alto, delgado, moreno, bueno, etc. De igual manera, podemos distinguir las cosas por su color, olor, textura, etc.

En el idioma inglés, como te habrás dado cuénta a lo largo de las lecciones anteriores, el orden de las frases no es igual que en español. En nuestro idioma decimos "Un árbol alto", y en inglés se dice "Un alto árbol". Así pues, cuando tratemos de poner un adjetivo calificativo a cualquier persona o cosa en inglés, debemos colocarlo antes del "sujeto". Otra cosa muy importante sobre los adejetivos calificativos, es que todos ellos, son lo mismo para singular o plural y para femenino o masculino.

A continuación, te presentaremos una lista de adjetivos calificativos, y al final de ella, te daremos unos ejemplos para que logres entender perfectamente la manera de acomodarlos en las frases.

Español	Inglés	Pronunciación
agrio	sour	sáuær
alto	high, tall	jáig, tol
amargo	bitter	bíter
ancho	wide	uáid
áspero	rough	róf
bajo	low	lóu
barato	cheap	chip
bien, "buena onda"	cool	kul
bobo	dunce	doens
bonito	pretty	príti
bueno	good	gud
caliente	hot	jot
callado, tranquilo	quiet	kuáiet
caro	expensive	ekspensiv
chico	small	smól
claro	clear	clír
cobarde	coward	cáuard
corto	short	shórt

crudo	raw	ro
cuidadoso	careful	kérful
débil	weak	uík
delgado, fino	thin	zdín
desagradable	nasty	násti
descortés	gross	gróus
descuidado	careless	kérles
difícil	difficult	díficolt
dulce	sweet	suít
duro	hard	jard
enfermo	sick	sík
estrecho	narrow	nárrou
fácil	easy	ísi
feliz	happy	jápi
feo	ugly	ógli
fiel	faithfull	féidful
flaco	lean	lin
frío	cold	cóuld
fuerte	strong	stróng
fuerte, ruidoso	loud	láud
gordo	fat	fat
grande	big	big
grandioso	great	gréit
grueso	thick	zdík
hermoso(a)	beautiful	biútiful
honrado, honesto	honest	ónest
infeliz	unhappy	oenjápi
infiel	faithless	féidles
joven	young	yóng
largo	large	lárch
largo	long	long
leal	loyal	lóial
lento	slow	slóu
limpio	clean, neat	clin, nit
loco	nuts	nats

malo	bad	bad
mentiroso	liar	láiar
necio	foolish	fúlish
nublado, nebuloso	foggy	fógui
oscuro	dark	dark
pequeño	little	lirl
perfecto(a)	perfect	pérfect
pobre	poor	pur
puro	pure	piúr
rápido	fast	fast
raro	weird	uírd
rico	rich	rich
sano	healthy	jélzdí
sensato, sabio	wise	uáis
suave, blando	soft	soft
sucio	dirty	dérti
tierno	tender, kind	tender, káind
triste	sad	sad
valiente	couragous	koeráyas
viejo	old	old

A continuación te presentaremos unos ejemplos de cómo utilizar algunos adjetivos calificativos. Tú también lo puedes hacer, pero recuerda leerlos en voz alta.

El amigo de mi hermana Karen es un **mentiroso**.
The friend of my sister Karen is a **liar**.
Zdæ frend of mái sister Karen is a láiar.

El doctor me dijo que era un **joven saludable**.
The doctor told me that I was a **healthy young** man.
Zdæ dóctor told mi zdát ái uás a jélzdí yóng mæn.

Es una mañana muy **fría**.
It is a very **cold** morning.
It is a veri cóuld mórning.

Horacio es un hombre **alto**
Horacio is a **tall** man
Horacio is a tol mæn

Mi padre es un hombre **honrado**
My father is an **honest** man
Mái fáder is an ónest mæn

Mi padrino es una persona **dulce**
My god-father is a **sweet** person
Mái gad-fáder is a suít pérson

Antes de abandonar el capítulo dedicado a los adjetivos calificativos, nos gustaría incluir en ellos a los colores. Los nombres de los colores en inglés son muy sencillos de aprender y muy útiles a la hora de querer hacer una frase donde se describan las características de algo o alguien.

En el siguiente listado encontrarás algunos colores, los cuales, también puedes usar como adjetivos calificativos:

Español	Inglés	Pronunciación
amarillo	yellow	yélou
azul	blue	blú
blanco	white	juáit
café	brown	bráun
dorado	golden	gólden
gris	gray	gréi
morado	purple	poerpl
naranja	orange	órænch
negro	black	blák
plateado	silver	sílver
rojo	red	red
rosa	pink	pink
verde	green	grín
violeta	violet	váiolet

Encuentra los siguientes adjetivos:

Coward, old, pretty, weak, small, bitter, sweet, sad, long, unhappy, nasty, difficult, tall, ugly, hot, fast, cold, quiet, sick, strong, fat, easy, happy, slow, thin.

C	O	W	A	R	D	T	B	A	T	D	H	E	D
U	Z	H	F	S	M	A	L	L	P	R	I	O	S
N	B	N	R	S	U	L	O	Q	D	I	R	C	T
H	K	I	D	E	Y	L	T	N	A	S	T	Y	E
A	C	O	T	K	B	R	H	E	C	E	U	A	I
P	E	Y	C	T	P	E	E	T	A	R	G	L	U
P	M	W	S	W	E	E	T	U	E	S	L	O	Q
Y	A	S	I	F	P	R	E	T	T	Y	R	N	W
H	N	Z	C	U	Y	I	N	X	W	A	Q	G	F
P	I	R	K	N	T	W	E	A	K	C	H	E	A
A	H	A	P	P	Y	S	E	G	R	E	M	A	T
L	T	Z	D	I	F	F	I	C	U	L	T	U	T
J	N	S	A	D	I	N	F	R	A	U	E	S	O
C	O	L	D	K	Q	G	N	O	T	S	A	K	B
H	U	O	L	D	N	Z	K	R	A	F	D	F	A
T	A	W	G	U	F	L	Q	E	N	O	B	R	Z

Comparativos y Superlativos

La forma de comparar en inglés, es agregando "er" al adjetivo calificativo seguido de la palabra "than". Para que lo entiendas mejor, a continuación te presentamos unos ejemplos:

Español	Inglés	Pronunciación
Mi tía es más vieja que mi mamá	My aunt is **older than** my mother	Mái aont is older zdan mái móder
Tú eres más alto que yo	You are **taller than** me	Yu ar tóler zden mi
Mi perro es más lento que tu gato	My dog is **slower than** your cat	Mái dog is slóuer zden yur cat

Cuando un adjetivo tiene más de una sílaba, en lugar de agregarle ER, utilizamos la palabra MORE (más) antes del adjetivo. Ejemplos:

Paul is more intelligent than Billy.
This book is more interesting than that one.
This test was more difficult than the test we had yesterday.

El superlativo se forma agregando EST a los adjetivos cortos y agregando MOST antes de los adjetivos largos. Se utiliza el artículo THE antes de la palabra para indicar qué es lo que destaca entre todo lo demás. Ejemplos:

Mexico is THE BIGGEST city in this continent.
Mount Everest is THE TALLEST mountain in the world.
Kate is THE MOST INTELLIGENT girl in the class.

Práctica: usa una palabra en cada espacio.

Geography is interesting. History is _____ interesting _____ _____ Geography. Literature is _____ interesting subject of all.

The weather is warm in Cuernavaca. It is _____ in Acapulco. The _____ place in Mexico is the Sonora Desert.

Tú también puedes redactar oraciones de este tipo utilizando los adjetivos que se presentan en este libro.

XIV. Aprendamos a Saludar y a Despedirnos

A partir de esta parte del libro, te empezaremos a mostrar la manera de comunicarte en inglés con las personas. A estas alturas, ya tienes conocimiento de las bases del idioma, y ahora es conveniente que empieces a ver de qué manera debes utilizar todo para hablar inglés correctamente.

Una buena manera de empezar a conversar es saludar de la manera correcta. Al igual que en español, en inglés debemos mostrar respeto por alguien que no conocemos o que es nuestro superior; cierta cordialidad con personas que nos rodean, y completa familiaridad con amigos y personas en nuestra casa.

A continuación, te mostraremos la forma de saludar a cualquier persona:

Inglés	Pronunciación	Significado y Uso
Hi	Jái	**Hola**, (saludo completamente informal)
Hello	Jelóu	**Hola**, (saludo informal)

Nice to meet you	Náis tu mit yu	**Gusto en conocerle**, (saludo formal)
Please to meet you	Plis tu mit yu	**Un placer en conocerle**, (saludo bastante formal)
Good morning	Gud mórning	**Buenos días**, (saludo formal)
Good afternoon	Gud afternún	**Buenas tardes**, (saludo formal)
Good evening	Gud ívning	**Buenas noches**, (saludo formal)

Cuando deseamos despedirnos de alguien, también lo podemos hacer de diferentes maneras. He aquí algunas de ellas:

Inglés	Pronunciación	Significado y Uso
See you	Si yu	**Nos vemos**, (despedida muy informal)
See you later	Si yu léiter	**Nos vemos después**, (despedida muy informal)
Bye	Bái	**Adiós**, (despedida informal)
Good bye	Gud bái	**Adiós**, (despedida amistosa informal)
Nice to meet you	Náis tu mit yu	**Gusto en conocerle**, (despedida formal)
Please to meet you	Plis tu mit yu	**Un placer en conocerle**, (despedida bastante formal)
Good morning	Gud mórning	**Buenos días**, (despedida formal)
Good afternoon	Gud afternún	**Buenas tardes**, (despedida formal)
Good evening	Gud ívning	**Buenas noches**, (despedida formal)

XV. Los Días, Meses y Estaciones del Año

Si vas a hablar inglés, debes conocer perfectamente los días de la semana, el nombre de los meses y las estaciones del año. A continuación, te presentaremos cada uno de ellos y te pondremos frases que contengan todo lo visto hasta aquí.

Empezaremos por los días de la semana. En inglés, semana se dice "week" y se pronuncia "uík":

Español	Inglés	Pronunciación
lunes	Monday	móndei
martes	Tuesday	túsdei
miércoles	Wednesday	uénsdei
jueves	Thursday	zdoérsdei
viernes	Friday	fráidei
sábado	Saturday	sátoerdei
domingo	Sunday	sándei
fin de semana	weekend	uíkend

Have a nice **weekend**.
Jav a náis uíkend.
Que tengas un bonito **fin de semana**.

He will go to my house **Sunday** morning.
Ji uíl góu to mái jáus sándei mórning.
Él irá a mi casa el **domingo** por la mañana.

I have to work on **Saturday**.
Ái jav tu uórk on sátoerdei.
Tengo que trabajar en **sábado**.

Éstos son sólo unos ejemplos de lo que puedes decir utilizando los días de la semana, así como todo lo que ya has aprendido.

Los meses del año también son muy importantes, así que es necesario memorizarlos. Es muy sencillo, pues son un poco similares a los nombres en español. En inglés, la palabra "mes" se dice "month" y se pronuncia "mónd". A continuación, te presentaremos los meses del año:

Español	Inglés	Pronunciación
enero	January	yénueri
febrero	February	fébiueri
marzo	March	march
abril	April	éiprol
mayo	May	méi
junio	June	yun
julio	July	yulái
agosto	August	ógost
septiembre	September	septémber
octubre	October	octóber
noviembre	November	novémber
diciembre	December	disémber

My son was born in **August**.
Mái son uás born in ógost.
Mi hijo nació en **agosto**.

She will get married in **March**.
Shi uíl guét márrid in march.
Ella se casará en **marzo**.

December is a very cold month.
Disémber is a veri cold mónd.
Diciembre es un mes muy frío.

Finalmente, te mostraremos cómo se dicen en inglés las cuatro estaciones del año. En inglés "estaciones" se dice "seasons" y se pronuncia "sísons"; y como "año" se dice "year" y se pronuncia "yir", cuando quieras decir "las estaciones del año", dirás "the seasons of the year" y lo pronunciarás "zdí sísons of zdí yir".

Español	Inglés	Pronunciación
primavera	spring	spríng
verano	summer	sómer
otoño	fall/autumn	fol/órom
invierno	winter	uínter

This is a very hot **summer**
Zdís is a veri jat sómer
Este es un **verano** muy caliente

I will go to México next **winter**
Ái uíl góu to México next uínter
Iré a México el próximo **invierno**

XVI. Verbos compuestos (phrasal verbs) y Modismos (idioms)

Estas expresiones tienen significados especiales que no se basan en una traducción literal de las palabras que las forman. Son muy comunes en inglés y es importante familiarizarse con ellas. A continuación presentamos ejemplos de algunas de las más usuales.

I

ALL OF A SUDDEN (de repente). All of a sudden, the dancers arrived.

AS USUAL (como de costumbre). He was late, as usual.

AT FIRST (en primer lugar, al principio). At first I worked in the library.

AT LAST (finalmente). At last I found my keys.

AT ONCE (de inmediato). Send the telegram at once.

BE OVER (terminarse). The program was over at 10:00.

BE UP (terminarse el tiempo). The tima is up. We have to go now.

BY HEART (de memoria). He learned the poem by heart.

BY ONESELF (solo, sin ayuda). Peter did the work by oneself. Nobody helped him.

BY THE WAY (por cierto, dicho sea de paso). By the way, have you seen Celia?

Llena los espacios con las palabras correctas (lo que está entre paréntesis te ayudará).

The students presented a program. _____ (in the beginning) they wanted to play music, but later they decided to act. They worked very hard for many days and _____ (finally) they learned everything _____ (by memory). Mark painted the scenary _____, (nobody helped him!). The parents, _____ (like every year) enjoyed the program very much. When the play started, the room was dark. _____ (people werw surprised!) the lights went on and the music started. _____ (inmediately) the students appeared on the stage. When the play _____ (ended) everybody clapped. The girls, _____ (incidentally) looked beautiful.

II

CALL

1. **CALL UP** (llamar por teléfono). Call up the travel agency.

2. **CALL ON** (visitar en persona). Many salesmen call on Mr. Evans every day.

3. **CALL OFF** (cancelar). We have to call off the meeting.

4. **FIGURE OUT** (calcular, estudiar algo para entenderlo). I can't figure out why he left.

5. **FOR GOOD** (definitivamente) I will stay in Cuautla for good.

Call up

Figure out

GET

6. **GET ON** (entrar, abordar). I get on the bus at Hidalgo Street.

7. **GET OFF** (salir, bajarse). Mary gets off the bus at Morelos Street.

8. **GET UP** (levantarse, pararse). Mr. Green gets up at 6:00.

9. **GET ALONG** (progresar). Mr. Harper is getting along in his job.

10. **GET BACK** (regresar). I will get back from my trip on Monday.

11. **GET OVER** (recuperarse de). She got over her cold and now she is feeling well.

12. **GET TO** (llegar a un lugar). We get to the office at 9:00.

13. **GET BETTER, WORSE**... (mejorar, empeorar). The situation is getting worse.

14. **GET SICK, TIRED, WET**... (enfermarse, cansarse, mojarse). Mr. Jones never gets tired.

15. **GET IN TOUCH WITH** (ponerse en contacto con). We have to get in touch with the manager.

16. **GET RID OF** (deshacerse de). I have to get rid of the old chairs.

Get on

Get along

Get sick,
tired,
wet...

Escribe la frase correcta en las siguientes ilustraciones. Si puedes, escribe una oración para cada ilustración.

_____

Juan se deshizo de su pelo largo.

_____

Llama a tu mamá, es su cumpleaños.

_____

Por cierto amor, qué rica sopa.

_____

Finalmente encontramos la falla.

_____

Hace frío, tengo que llegar a casa.

III

17. **HAD BETTER** (sería mejor que...). You had better (You'd better speak to your boss.

18. **HANG UP** (colgar ropa en un gancho, colgar el teléfono). Hang up your coat.

19. **HAVE TIME OFF** (tener tiempo libre). When I have time off, I go to concerts.

20. **HAVE A GOOD TIME** (divertirse). We always have a good time together.

21. **KEEP ON** (continuar). They keep on working until 6:00.

22. **LEAVE OUT** (omitir). Don't leave out any detail.

23. **LIE DOWN** (recostarse). Lie down if you are tired.

24. **LITTLE BY LITTLE** (poco a poco). The people arrived little by little.

LOOK

25. **LOOK AT** (mirar, observar). Look at that train.

26. **LOOK FOR** (buscar). I have to look for a new apartment.

27. **LOOK OUT** (tener cuidado con). Look out for the cars when you cross the street.

28. **LOOK OVER** (examinar, estudiar). Look over the contract before you sign it.

Hang up

Leave out

Look at

Look over

IV

29. **MAKE UP ONE'S MIND** (decidir). You have to make up your mind about what to study.

30. **CHANGE ONE'S MIND** (cambiar de opinión). I changed my mind about the trip.

31. **MAKE SURE** (asegurarse). Make sure to lock when you leave.

32. **MIX UP** (confundir). His explanation mixed me up.

33. **BE MIXED UP** (estar confundido). I am mixed up. I don't understand.

34. **GET MIXED UP** (confundirse). I got mixed up with so many papers.

35. **ON TIME** (a tiempo). We have to start the meeting on time.

36. **ONCE IN A WHILE** (de vez en cuando). We go to the theater once a while.

37. **OUT OF ORDER** (descompuesto). The machine is out of order.

Llena en los blancos (las palabras entre paréntesis te ayudarán).

I had a difficult day at the office. I arrived _____ (I was not late!) but my computer was _____ (it did not work!) and I _____ (got confused) with all the things my boss told me. I could not _____ (decide) what to do. I had to _____ (be certain) to call a good repair man. _____ (occasionally) I call my cousin, but the last time I called him he _____ (confused) mixed up everything. So I _____ (thought differently) and called someone else.

V

38. **PICK UP** (levantar). The pen is on the floor. Please pick it up.

39. **PICK OUT** (escoger). Pick out the book you want to read.

40. **POINT OUT** (señalar). The President pointed out the important aspects of the situation.

41. **PUT ON** (ponerse ropa). Put on your coat. It is cold.

42. **PUT OUT** (extinguir, apagar). Put out the lights.

43. **PUT OFF** (posponer). We have to put off the meeting.

44. **RIGHT AWAY** (de inmediato). Please come to my office right away.

45. **SIT DOWN** (sentarse). We sit down in the living room and watch TV.

46. **STAND UP** (ponerse de pie). People stand up when the President enters the room.

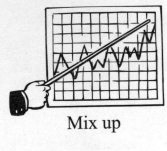

Mix up

Out of order

Pick out

Put on

VI

TAKE

47. **TAKE OFF** (quitarse ropa). Take off your coat. It is hot.

48. **TAKE OUT** (sacar). The lady took out her purse and paid for the merchandise.

49. **TAKE ONE'S TIME** (no apresurarse). He is not in a hurry. He takes his time to do the job.

50. **TAKE CARE OF** (encargarse de, cuidar). Take care of the children.

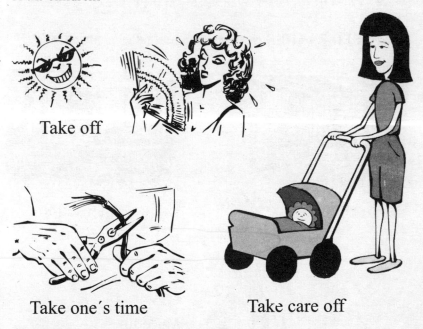

Take off

Take one´s time   Take care off

TURN

51. **TURN ON** (encender, empezar). Turn on the light. It is dark.

52. **TURN OFF** (apagar, terminar). Turn off the radio.

53. **USED TO** (solía; un hábito que antes se tenía). When I was student, I used to buy a lot of books.

54. **BE USED TO** (estar acostumbrado a). I am used to drive in Mexico City.

55. **GET USED TO** (acostumbrarse). You have to get used to driving in Mexico City.

56. **WAKE UP** (despertar). She wakes up early.

57. **WAIT FOR** (esperar). Wait for me in the office.

58. **WOULD RATHER** (preferir). I would rather study chemistry.

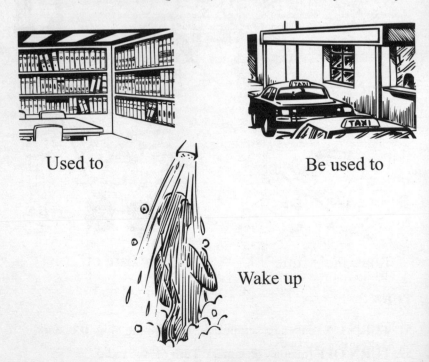

Used to   Be used to

Wake up

1→ O	U	1↓ T		3↓ O			5↓ R	
		A		N			A	
2↓ W	A	K	E		2→ G	E	T	
A		E		4↓ T			H	
3→ I	6↓ S			O		7→ H	E	
4→ T	O	7↓ O	K				R	
I		F		8→ S	H	E		
N		6→ F	O	R				
G						5→ O	F	F

Verticales:

1. I _____ care of the children.
2. What are you _____ for?
3. I am going to turn _____ the radio. I want to listen to the news.
4. When I lived in Acapulco, I used _____ swim every day.
5. I'd _____ go to the park.
6. I'm _____ busy that I don't have time for anything.
7. It was so warm that I took _____ my jacket.

Horizontales:

1. We take the dog _____ for a walk.
2. The children _____ up late on Sunday.
3. Mary _____ used to walking to work.
4. He did not work fast. He _____ his time.
5. Please turn _____ the light. I want to go to sleep.
6. Don't wait _____ me.
7. Peter is a teacher. _____ teaches first grade.
8. Martha is a secretary. _____ works at the Embassy.

XVII. Vocabulario para Lugares Específicos

Muchas de las palabras que verás a continuación ya se han mencionado con anterioridad. Sin embargo, no está de más que las repases nuevamente, además de que aprenderás nuevas palabras y su pronunciación:

El Cuerpo Humano - The Human Body (Zdæ Jiúman Bodi)

Español	Inglés	Pronunciación
barba	beard	bird
bigote	moustache	móstash
boca	mouth	máud
cabello	hair	jer
cabeza	head	jed
cejas	eyebrows	áibraus
cerebro	brain	bréin
cintura	waist	uéist
codo	elbow	élbou
corazón	heart	járt
cuello	neck	nek
cuerpo	body	bódi
dedos	fingers	fínguers
diente	tooth	tud
dientes	teeth	tid
encías	gums	goms
espalda	back	bak
espina dorsal	back bone	bak bóun
estómago	stomach	stómec
extremidades	limbs	límbs
frente	forehead	fórjed
garganta	throat	zdróut

hígado	liver	líver
hombros	shoulders	shóulders
intestinos	bowels	báuels
labios	lips	lips
lengua	tongue	tong
manos	hands	jends
mejilla	cheek	chic
muslos	thighs	zdáis
nariz	nose	nóus
ojos	eyes	áis
orejas	ears	irs
pantorrilla	calf	calf
párpados	eyelinds	áilinds
pecho	chest	chest
pestañas	eyelashes	áilashes
pie	foot	fut
piernas	legs	legs
pies	feet	fit
pulmón	lung	long
riñón	kidney	kídni
rodilla	knee	ní
sangre	blood	blod
talones	heels	jils
tobillo	ankle	ánkl
tronco, torso	trunk	tronk
uñas	nails	néils
vientre	abdomen	abdómen

El Campo - The Field (Zdæ Fild)

Español	Inglés	Pronunciación
agricultura	agriculture	agricoltr
arado	plough	pláu
campesino	peasant	pésant
carretilla	barrow	bárrou

cebada	baley	báli
centeno	rye	rái
colina	hill	jil
cosecha	harvest/crop	jarvest/crop
cultivar	cultivate	cultivéit
establo	stable	stéibol
fuego	fire	fáier
granero	barn	barn
granja	farm	farm
granjero	farmer	fármer
grano	grain	gréin
heno	hay	jéi
hoja	leaf	lif
hoz	sickle	sikoel
huerto	orchard	órkard
jardín	garden	gárden
lago	lake	léik
llanura	plain	pléin
lluvia	rain	réin
maíz	corn	corn
montaña	mountain	máuntein
nieve	snow	snóu
nube	cloud	cláud
paja	straw	stró
pala	shovel	shóvel
pantano	swamp	suámp
pastor	sheperd	shépard
prado	meadow	médou
rama	branch	bránch
rastrillo	rake	réik
río	river	ríver
sembrar	sow	sóu
semilla	seed	sid
suelo	ground	gráund
surco	furrow	férrou

tierra	earth	érzd
trigo	wheat	juít
valle	valley	váli
zanja	ditch	ditch

Planeta Tierra - Planet Earth
(Plánet Érzd)

Español	Inglés	Pronunciación
agua	water	uáter
América	America	américa
Asia	Asia	eísha
cielo	sky	skái
cometa	comet	cómet
Este	East	íst
estrellas	stars	stars
Europa	Europe	iúrop
fuego	fire	fáier
Júpiter	Jupiter	yúpiter
lluvia	rain	réin
Luna	Moon	mun
Marte	Mars	mars
niebla	fog	fog
Norte	North	nórzd
Oceanía	Oceania	oshiéinia
océano	ocean	óushan
Oeste	West	uést
relámpago	lightning	láigtning
selva	jungle	yóngl
Sol	sun	son
Sur	south	sáuzd
temblor	earthqueake	erzdkuéik
Tierra	Earth	érzd
tornado	tornado	tornéido
trueno	thunder	zdónder
viento	wind	uínd

XVII. Examen Final
- Final Exam

Bueno, pues has llegado al final del curso básico de inglés. Espero que esto no lo abandones, pues todo lo que has aprendido lo tienes que poner en práctica, de lo contrario, se te irá olvidando poco a poco.

Esta parte final del libro busca ponerte frases en inglés y español, y que tú, con todos los conocimientos adquiridos en este curso básico, logres pasarlas al español o inglés. Las respuestas correctas estarán al final del libro, no las veas hasta que contestes todo el examen.

Sé muy bien que este libro cambiará tu vida, claro si has puesto en él ganas y mucho estudio. Y como te mencioné anteriormente, si vas a practicar tu inglés con alguien, o vas a hacer un viaje a los Estados Unidos, no olvides este libro y tu diccionario, pues aunque este es un curso muy completo, es imposible poner en él todas las palabras que existen en inglés.

No obstante, estoy seguro de que con lo que te he mostrado en estas páginas, estás lo suficientemente bien preparado para lanzarte a la aventura de hablar inglés.

Good Luck!

Pasa estas oraciones al inglés:

1. Yo comienzo mi trabajo_____

2. Tú traes estos libros_____

3. Él rompe sus zapatos _____

4. Nosotros compramos cinco perros_____

5. El profesor trabaja en la escuela_____

6. Mi tío es un doctor muy bueno_____

7. María está en cama desde ayer_____

8. La iglesia abre los domingos_____

9. Mi abuelo murió el mes pasado_____

10. Mi familia estará junta en diciembre_____

11. Un leopardo escapó del zoológico_____

12. Estudio en la escuela de Ingenieros_____

13. Mis amigos nacieron en Estados Unidos_____

14. Mi cuñado es músico _____

15. Mi madre limpia todos los días la casa_____

16. ¿Has visto mi falda roja? _____

17. Mi automóvil es azul _____

18. Las arañas son muy feas _____

19. Todas las mañanas tomo un baño_____

20. Mi padrino está en México_____

Pasa al español las siguientes frases:

21. The book is brown _____

22. The students are in the school_____

23. I love my wife _____

24. I will go to the airport tomorrow_____

25. We live in México _____

26. My friend John is very tall_____

27. She went to the movies with her cousin_____

28. My brother was in the art gallery_____

29. The zoo is very old and ugly_____

30. I need milk for breakfast _____

31. I have to clean my bedroom_____

32. My grandfather sings in the church_____

33. You have to cut your hair _____

34. The human hand has five fingers_____

35. That is a very large tree _____

36. The coat costs five hundred twenty two dollars _____

37. December is a very sad month _____

38. I did not want to hurt you _____

39. Do you want to go to the ball park? _____

40. I need to speak english before march _____

Completa las siguientes frases:

41. My_____and his_____will be here_____
       primo   esposa   mañana

42. The_____is very_____
      escuela   vieja

43. Do you_____english?
        hablas

44. My favorite_____of the year is the_____
        estación   verano

45. My_____is a very_____and_____man.
     abuelo   sabio   dulce

46. Good_____, how are you_____?
       días   hoy

47. You_____a pair of new_____
    necesitas   zapatos

48. I have to_____to_____, because my_____do not start.
      correr   trabajo   automóvil

49. My_____Raúl is my_____
      tío   padrino

50. I want to_____an_____or a_____
        ser   ingeniero   doctor

51. The_____to Los Angeles is_____
      camión   retrasado

52. The_____has to be_____, before my mother_____
      cocina   limpia   despierte

53. My_____loves to_____slow_____with my_____
      papá   bailar   música   mamá

54. My_____will visit us next_____
      abuelo   invierno

55. The_____is a_____nice place to go with my_____
      zoológico   muy   hija

56. This_____is_____. Do not_____ _____things_____it.
      mesa   nueva   pongas sucias   en

57. I will_____my_____next_____
      pintar   habitación   fin de semana

58. The_____need the_____and_____to live.
      flores   sol   agua

59. My_____is_____ _____
      computadora   muy   cara

60. My_____and my_____make me_____every_____
      hija   hijo   reír   día

Respuestas:

(Pasa estas oraciones al inglés)

1. I start my work.

2. You bring these books.

3. He breaks his shoes.

4. We bought five dogs.

5. The professor works at school.

6. My uncle is a very good doctor.

7. Mary is in bed since yesterday.

8. The church opens on sundays.

9. My grandfather died last month.

10. My family will be together in december.

11. A leopard escaped from the zoo.

12. I study in the engineer school.

13. My friends were born in the United States.

14. My brother in law is a musician.

15. My mother cleans the house every day.

16. Have you seen my red skirt?

17. My car is blue.

18. The spiders are very ugly.

19. Every morning i take a shower.

20. My God-father is in México.

Respuestas:

(Pasa al español las siguientes frases)

21. El libro es café.

22. Los estudiantes están en la escuela.

23. Yo amo a mi esposa.

24. Iré al aeropuerto mañana.

25. Nosotros vivimos en México.

26. Mi amigo Juan es muy alto.

27. Ella fue al cine con su primo.

28. Mi hermano estaba en la galería de arte.

29. El zoológico está muy viejo y feo.

30. Necesito leche para el desayuno.

31. Tengo que limpiar mi recámara.

32. Mi abuelo canta en la iglesia.

33. Tienes que cortarte el cabello.

34. La mano humana tiene cinco dedos.

35. Este es un árbol muy largo.

36. El abrigo cuesta quinientos veintidós dólares.

37. Diciembre es un mes muy triste.

38. No quise lastimarte.

39. ¿Quieres ir al parque de pelota?

40. Tengo que hablar inglés antes de marzo.

Respuestas:

(Completa las siguientes frases)

41. cousin, wife, tomorrow

42. school, old

43. speak

44. station, summer

45. grandfather, wise, sweet

46. morning, today

47. need, shoes

48. run, work, car

49. uncle, God-father

50. be, engineer, doctor

51. bus, late

52. kitchen, clean, wakes up

53. father, dance, music, mother

54. grandfather, winter

55. zoo, very, daughter

56. table, new, put, dirty, on

57. paint, bedroom, weekend

58. flowers, sun, water

59. computer, very, expensive

60. daughter, son, smile, day

ÍNDICE

TÍTULOS DE ESTA COLECCIÓN

Diccionario Español/Inglés
Graciela Frisbie

**Diccionario Gran Tomo
Inglés-Español/Español-Inglés**

El ABC del Inglés.
Jesse Ituarte

Inglés para la Vida Diaria.
Jesse Ituarte

Impreso en Offset Libra

Francisco I. Madero 31

San Miguel Iztacalco,

México, D.F.